LETTURE PER LA SCUOLA MEDIA

7.

Nuova edizione accresciuta di un apparato didattico
a cura di Carlo Minoia

ISBN 88-06-27532-1

ITALO CALVINO

MARCOVALDO
OVVERO LE STAGIONI IN CITTÀ

Presentazione e note
a cura dell'autore

Giulio Einaudi editore

Prefazione seria e un po' noiosa d'un libro che non vuol essere tale, ragion per cui i nostri lettori possono benissimo saltarla (ma se qualche professore volesse leggerla, vi troverà alcune istruzioni per l'uso).

Il libro Marcovaldo ovvero Le stagioni in città *è composto da venti novelle. Ogni novella è dedicata a una stagione; il ciclo delle quattro stagioni si ripete dunque nel libro per cinque volte. Tutte le novelle hanno lo stesso protagonista, Marcovaldo, e seguono pressappoco lo stesso schema.*

Il volume fu pubblicato per la prima volta nel 1963, a Torino, dalle edizioni Einaudi, con illustrazioni di Sergio Tofano. Il testo di presentazione (probabilmente scritto dall'Autore) dice: « In mezzo alla città di cemento e asfalto, Marcovaldo va in cerca della Natura. Ma esiste ancora, la Natura? Quella che egli trova è una Natura dispettosa, contraffatta, compromessa con la vita artificiale. Personaggio buffo e melanconico, Marcovaldo è il protagonista d'una serie di favole moderne », *che – dice più avanti la stessa presentazione –* « restano fedeli a una classica struttura narrativa: quella delle storielle a vignette dei giornalini per l'infanzia ».

Le caratteristiche del protagonista sono appena accennate: è un animo semplice, è padre di famiglia numerosa, lavora come manovale o uomo di fatica in una ditta, è l'ultima incarnazione di una serie di candidi eroi poveri-diavoli alla Charlie Chaplin, con questa particolarità: di essere un « Uomo di Natura », *un* « Buon Selvaggio » *esiliato nella città industriale. Da dove egli sia venuto alla città, quale sia l'* « altrove » *di* cui egli sente nostalgia, non è detto; potremmo definirlo un « immigrato », anche se questa parola non compare mai nel testo; ma la definizione è forse impropria, perché tutti in queste novelle sembrano « immigrati » in un mondo estraneo dal quale non si può sfuggire.

La migliore presentazione del personaggio è nella prima novella: « Aveva questo Marcovaldo un occhio poco adatto alla vita di città: cartelli, semafori, vetrine, insegne luminose, manifesti, per studiati che fossero a colpire l'attenzione, mai fermavano il suo sguardo che pareva scorrere sulle sabbie del deserto. Invece, una foglia che ingiallisse su un ramo, una piuma che si impigliasse ad una tegola, non gli sfuggivano mai: non c'era tafano sul dorso d'un cavallo, pertugio di tarlo in una tavola, buccia di fico spiaccicata sul marciapiede che Marcovaldo non notasse, e non facesse oggetto di ragionamento, scoprendo i mutamenti della stagione, i desideri del suo animo, e le miserie della sua esistenza ».

Queste parole possono servire da presentazione tanto del personaggio che della situazione comune a tutte le novelle, la quale potrebbe essere sintetizzata così: in mezzo alla grande città Marcovaldo 1) scruta il riaffiorare delle stagioni nelle vicende atmosferiche e nei minimi segni d'una vita animale e vegetale, 2) sogna il ritorno a uno stato di natura, 3) va incontro a un'immancabile delusione.

Le novelle seguono questo schema talvolta nella forma più semplice, proprio da storiella a vignette (come nelle più brevi: Funghi in città, Il piccione comunale, La cura delle vespe ecc.), con la vignetta finale a sorpresa (anzi: a brutta sorpresa, dato che assomigliano a quelle storielle comiche « senza parole » che finiscono immancabilmente male), talvolta invece come piccolo racconto amaro, quasi realistico (come La pietanziera, L'aria buona, Un viaggio con le mucche), per arrivare a racconti in cui stato d'animo e paesaggio sono preponderanti (come la solitudine dell'animale ne Il coniglio velenoso o lo smarrimento nella nebbia ne La fermata sbagliata).

Come per sottolineare il carattere di favola, i personaggi di queste scenette di vita contemporanea – siano essi spazzini, guardie notturne, disoccupati, magazzinieri –, portano nomi altisonanti, medievali, quasi da eroi di poema cavalleresco, a cominciare dal protagonista. Solo i bambini hanno nomi usuali, forse perché solo loro appaiono come sono, e non come figure caricaturali.

La città non è mai nominata: per alcuni aspetti potrebbe essere Milano, per altri (il fiume, le colline) è riconoscibile in Torino (città dove l'Autore ha passato gran parte della sua vita). Questa indeterminatezza è certo voluta dall'Autore per significare che non è una città, ma la città, una qualsiasi metropoli industriale, astratta e tipica come astratte e tipiche sono le storie raccontate.

Ancor più indeterminata è la ditta, l'azienda dove Marcovaldo lavora: non riusciamo mai a sapere che cosa si fabbrichi, che cosa si venda, sotto la misteriosa sigla «Sbav», né cosa contengano le casse che Marcovaldo carica e scarica otto ore al giorno. È la ditta, l'azienda, simbolo di tutte le ditte, le aziende, le società anonime, le marche di fabbrica che regnano sulle persone e sulle cose del nostro tempo.

A contrasto con la semplicità quasi infantile della trama d'ogni novella, l'impostazione stilistica è basata sull'alternarsi di un tono poetico-rarefatto, quasi prezioso (cui tende la frase soprattutto quando accenna a fatti della natura) e il contrappunto prosastico-ironico della vita urbana contemporanea, delle piccole e grandi miserie della vita. Diremmo anzi che lo spirito del libro sta essenzialmente in questo contrappunto stilistico: esso non manca neppure nelle novelle d'intreccio piú breve ed elementare, concentrato magari nella prima frase, che ha la funzione di introdurre il tema stagionale. («Il vento, venendo in città da lontano, le porta doni inconsueti, di cui s'accorgono solo poche anime sensibili, come i raffreddati del fieno, che starnutano per pollini d'altre terre»). In altre novelle invece, anche se il loro intreccio non è nulla di piú che la solita serie di vignette, ogni particolare è pretesto per un brano d'elaborato impegno stilistico (per esempio, ne La villeggiatura in panchina il confronto tra il colore della luna e quello del semaforo che segna giallo). Si arriva cosí alle novelle in cui l'elaborazione della prosa corrisponde a una quasi altrettanto elaborata invenzione di racconto, come la multicolore visione finale de La pioggia e le foglie, o, risultato ancor piú complesso, l'inizio de Il giardino dei gatti ostinati, in cui vediamo la città delle speculazioni edilizie inghiottire la «città dei gatti» che costituiva il vero spazio vitale anche per gli uomini.

Un fondo di melanconia colora il libro dal principio alla fine. Si direbbe che per l'Autore lo schema delle storielle comiche sia stato solo un punto di partenza, per sviluppare il quale egli si è abbandonato a una sua vena lirica amara e dolorosa. Ma Marcovaldo, attraverso tutti gli scacchi, non è mai un pessimista; è sempre pronto a riscoprire in mezzo al mondo che gli è ostile lo spiraglio d'un mondo fatto a sua misura, non si arrende mai, è sempre pronto a ricominciare. Certo il libro non invita a cullarsi in un atteggiamento di superficiale ottimismo: l'uomo contemporaneo ha perduto l'armonia tra sé e l'ambiente in cui vive, e il superamento di questa disarmonia è un compito arduo, le speranze troppo facili e idilliche si rivelano sempre illusorie. Ma l'atteggiamento che domina è quello dell'ostinazione, della non-rassegnazione.

Siamo ora in grado di definire meglio la posizione di questo libro di fronte al mondo che ci circonda. È la nostalgia, il rimpianto per un idillico mondo perduto? Una lettura in questa chiave, comune a tanta parte della letteratura contemporanea che condanna la disumanità della « civiltà industriale » in nome d'un vagheggiamento del passato, è certamente la più facile. Ma se osserviamo più attentamente, vediamo che qui la critica alla « civiltà industriale » si accompagna a una altrettanto decisa critica a ogni sogno d'un « paradiso perduto ». L'idillio « industriale » è preso di mira allo stesso tempo dell'idillio « campestre »: non solo non è possibile un « ritorno indietro » nella storia, ma anche quell'« indietro » non è mai esistito, è un'illusione. L'amore per la natura di Marcovaldo è quello che può nascere solo in un uomo di città: per questo non possiamo sapere nulla d'una sua provenienza extracittadina; questo estraneo alla città è il cittadino per eccellenza.

In questo sguardo sul mondo così critico per le situazioni e le cose ma così pieno di simpatia per le persone umane, per tutte le manifestazioni di vita, sta dunque la lezione del libro, se « lezione » possiamo chiamare una vena didascalica così discreta, sommessa, mai perentoria, aperta sempre su varie alternative, come è quella dell'Autore.

Il libro è stato scritto nell'arco di dieci anni: le prime novelle sono del 1952, le ultime del 1963. Gli sviluppi della realtà sociale italiana tra queste date e i corrispondenti sviluppi nell'atmosfera letteraria accompagnano la storia interna del libro, anche se in esso non vi sono mai agganci diretti con l'attualità (tranne nel senso più generale; per esempio la polemica contro i prodotti alimentari adulterati si traduce nella disavventura di Dov'è più azzurro il fiume).

Un'umanità alle prese con i problemi più elementari

*di lotta per la vita era stato il tema del « neorealismo »
letterario e cinematografico negli anni di indigenza e
di tensione del dopoguerra. Le storielle di Marcovaldo cominciano quando la grande ondata « neorealis-
ta » già accenna al riflusso: i temi che romanzi e film
del dopoguerra avevano ampiamente illustrato, quali
la vita della povera gente che non sa cosa mettere in
pentola per pranzo e per cena, rischiano di diventare
luoghi comuni per la letteratura, anche se nella realtà
restano largamente attuali. L'Autore esperimenta allora questo tipo di favola moderna, di divagazione co-
mico-melanconica in margine al « neorealismo ». A
poco a poco, l'atmosfera del paese cambia: all'immagine d'un'Italia povera e « sottosviluppata » si contrappone l'immagine di un'Italia che sta raggiungen-
do, almeno in parte, il livello di sviluppo tecnico e di
possibilità di lavoro e di consumo dei paesi più ricchi;
nasce l'euforia (e l'illusione) del « miracolo economico », del « boom », della « società opulenta ». Anche
in letteratura altri temi diventano d'attualità: non si
denuncia più tanto la miseria quanto un mondo in cui
tutti i valori diventano merci da vendere e comprare,
in cui si rischia di perdere il senso della differenza tra
le cose e gli esseri umani, e tutto viene valutato in termini di produzione e consumo. Le favole ironico-me-
lanconiche di Marcovaldo ora si situano in margine a
questa « letteratura sociologica ». La corsa di Marcovaldo e famiglia, sempre senza un soldo, attraverso il
supermarket gremito di prodotti, è l'immagine sim-
bolica di questa situazione.*

*Un elemento sempre presente nella vita moderna,
come la pubblicità, da una novella all'altra cambia il
suo rapporto con la famiglia di Marcovaldo: nei gelidi
inverni del dopoguerra i cartelloni sono scambiati dai
bambini per alberi di un bosco (Il bosco sull'autostrada); la concorrenza tra ditte il cui solo prestigio sta*

nel fare piú insegne luminose delle altre si confonde per gli abitanti dell'abbaino con le vicende del cielo stellato (Luna e Gnac); ed ecco che (Fumo, vento e bolle di sapone) le « campagne di lancio » dei detersivi, a base di campioni-omaggio, invadono un'intera città di schiuma iridescente, che alla fine s'amalgama alle nuvole fumose delle ciminiere.

Pubblicità, frenesia del « consumo », rapporti d'interesse mascherati da « rapporti umani »: cosa diventa, in un mondo come questo, la festa del Natale? Nell'ultima novella del libro (I figli di Babbo Natale), un'immaginaria « Unione Incremento Vendite Natalizie » lancia la campagna per il « Regalo Distruttivo ».

Ma appena il racconto acquista un significato, si compone in un apologo, l'Autore si tira indietro, con una sua caratteristica elusività (sicuro che i significati veri di una storia sono solo quelli che il lettore sa ricavare per conto suo, riflettendoci sopra) e s'affretta a ricordare che tutto è stato soltanto un gioco. Così nella chiusa dell'ultima novella, con una dissoluzione di immagini frequente nei libri dell'Autore, il minuzioso disegno grottesco si rivela inserito in un altro disegno, un disegno di neve e animali come d'un libro per bambini, che poi si trasforma in un disegno astratto, poi in una pagina bianca.

Libro per bambini? Libro per ragazzi? Libro per grandi? Abbiamo visto come tutti questi piani continuamente si intreccino. O piuttosto libro in cui l'Autore attraverso lo schermo di strutture narrative semplicissime, esprime il proprio rapporto, perplesso e interrogativo, col mondo? Forse anche questo. Ma presentando questo libro per le scuole, vogliamo dare ai ragazzi una lettura in cui i temi della vita contemporanea sono trattati con spirito pungente, senza indulgenze retoriche, con un invito costante alla riflessione.

Italo Calvino (1923-85) è uno scrittore di racconti e romanzi. Ha trascorso infanzia e giovinezza a San Remo; poi ha vissuto parecchi anni a Torino.

Uno dei suoi primi racconti (*Ultimo viene il corvo*, 1949) narra d'un ragazzo partigiano dalla mira infallibile: spara e colpisce tutti i bersagli del bosco, mentre un tedesco sta nascosto dietro una pietra. Invece un altro di questi racconti (*Il bosco degli animali*) narra di un contadino completamente privo di mira: gli sarebbe facilissimo colpire un tedesco che sta portandogli via una mucca, ma gli corre dietro per tutto il bosco senza riuscirci. Il primo racconto col suo crescendo drammatico e il secondo col suo crescendo tragicomico indicano già una delle principali caratteristiche dello stile di Calvino: il rappresentare esperienze della vita reale trasfigurandole con la fantasia. È la stessa mescolanza di fantasia e di realtà che troveremo nei racconti di Marcovaldo.

Di pura fantasia, sono altre storie che Calvino ha scritto, e che si svolgono in luoghi e tempi immaginari. Per esempio *Il barone rampante* (1957) è la storia d'un ragazzo che sale su un albero per gioco e decide di non scendere piú a terra per nessuna ragione; saltando da un albero all'altro trascorre tutta la sua vita, e riesce anche ad assistere ad avvenimenti storici come la Rivoluzione francese e le guerre di Napoleone. *Il barone rampante* è il piú noto romanzo di Calvino ed è stato tradotto in quindici lingue, anche in giapponese. In Italia se ne è fatta anche un'edizione per ragazzi, e un'edizione annotata per le scuole.

Un altro romanzo è *Il visconte dimezzato* (1951): la storia d'un tale che torna da un'antica guerra contro i Turchi, ridotto la metà di se stesso, tagliata per il lungo: l'altra metà è stata portata via da una palla di cannone. Il dimezzato è diventato un uomo molto crudele; poi si scopre che anche l'altra metà è viva, ed è la metà buona, che fa solo buone azioni. Le due metà si battono a duello e si riducono cosí male, che rimesse insieme ricostituiscono un uomo intero.

Visto che Calvino si divertiva a inventare queste specie di fiabe, fu incaricato di raccogliere in un libro le fiabe della tradizione popolare. E il suo libro *Fiabe italiane* (1956), che raccoglie duecento storie del folklore di tutte le regioni italiane, può essere avvicinato alla raccolta dei fratelli Grimm. Da questa raccolta sono state tratte due scelte come libri illustrati per l'infanzia, *L'Uccel belverde* e *Il Principe granchio*; e tre volumi pubblicati in questa stessa collana.

MARCOVALDO

Il vento, venendo in città da lontano, le porta doni inconsueti, di cui s'accorgono solo poche anime sensibili, come i raffreddati del fieno[1], che starnutano per pollini di fiori d'altre terre.

Un giorno, sulla striscia d'aiola d'un corso cittadino, capitò chissà donde una ventata di spore[2], e ci germinarono dei funghi. Nessuno se ne accorse tranne il manovale Marcovaldo che proprio lí prendeva ogni mattina il tram.

Aveva questo Marcovaldo un occhio poco adatto alla vita di città: cartelli, semafori, vetrine, insegne luminose, manifesti, per studiati che fossero a colpire l'attenzione, mai fermavano il suo sguardo che pareva scorrere sulle sabbie del deserto. Invece, una foglia che ingiallisse su un ramo, una piuma che si impigliasse ad una tegola, non gli sfuggivano mai: non c'era tafano[3] sul dorso d'un cavallo, pertugio di tarlo in una tavola, buccia di fico spiaccicata sul marciapiede che Marcovaldo non notasse, e non facesse oggetto di

1. La « febbre del fieno » è una forma di allergia provocata da pollini e polveri vegetali (oculorinite allergica) che provoca sternuti e infiammazione al naso e agli occhi. È una malattia molto fastidiosa, ma non tanto grave da impedire all'Autore di scherzarci sopra: egli chiama gli affetti da « raffreddore del fieno » *anime sensibili* perché il polline venuto di lontano sulle ali del vento li fa starnutire.

2. I funghi, e in genere le piante crittogame, si riproducono attraverso cellule agamiche dette « spore ».

3. Insetto simile a una grossa mosca che succhia il sangue dei cavalli e dei buoi.

ragionamento, scoprendo i mutamenti della stagione, i desideri del suo animo, e le miserie della sua esistenza.

Cosí un mattino, aspettando il tram che lo portava alla ditta Sbav dov'era uomo di fatica, notò qualcosa d'insolito presso la fermata, nella striscia di terra sterile e incrostata[1] che segue l'alberatura del viale: in certi punti, al ceppo[2] degli alberi, sembrava si gonfiassero bernoccoli che qua e là s'aprivano e lasciavano affiorare tondeggianti corpi sotterranei.

Si chinò a legarsi le scarpe e guardò meglio: erano funghi, veri funghi, che stavano spuntando proprio nel cuore della città! A Marcovaldo parve che il mondo grigio e misero che lo circondava diventasse tutt'a un tratto generoso di ricchezze nascoste, e che dalla vita ci si potesse ancora aspettare qualcosa, oltre la paga oraria del salario contrattuale, la contingenza, gli assegni familiari e il caropane[3].

Al lavoro fu distratto piú del solito; pensava che mentre lui era lí a scaricare pacchi e casse, nel buio della terra i funghi silenziosi, lenti, conosciuti solo da lui, maturavano la polpa porosa, assimilavano succhi sotterranei, rompevano la crosta delle zolle. « Basterebbe una notte di pioggia, – si disse, – e già sarebbe-

1. Dalla superficie rappresa.
2. Al piede.
3. Le varie voci di cui si compone la « busta paga » dell'operaio, sono: il « minimo di categoria » cioè la retribuzione per ora di lavoro prevista dal « contratto di categoria »; un supplemento detto « indennità di contingenza » proporzionale all'indice di aumento del costo della vita; gli « assegni familiari » per ogni membro della famiglia a carico, corrisposti dal datore di lavoro per conto della Previdenza Sociale; la « indennità sostitutiva della mensa » (nelle aziende in cui il personale non può usufruire di una mensa); eventuali premi e aumenti di merito; eventuali « ore straordinarie » e « ferie non godute ». Il « caropane » era una voce della « busta paga » negli anni del dopoguerra (quando questo racconto è stato scritto), come indennità temporanea in considerazione della crescita dei prezzi.

ro da cogliere ». E non vedeva l'ora di mettere a parte della scoperta sua moglie e i sei figlioli.

– Ecco quel che vi dico! – annunciò durante il magro desinare. – Entro la settimana mangeremo funghi! Una bella frittura! V'assicuro!

E ai bambini piú piccoli, che non sapevano cosa i funghi fossero, spiegò con trasporto[1] la bellezza delle loro molte specie, la delicatezza del loro sapore, e come si doveva cucinarli; e trascinò cosí nella discussione anche sua moglie Domitilla, che s'era mostrata fino a quel momento piuttosto incredula e distratta.

– E dove sono questi funghi? – domandarono i bambini. – Dicci dove crescono!

A quella domanda l'entusiasmo di Marcovaldo fu frenato da un ragionamento sospettoso: « Ecco che io gli spiego il posto, loro vanno a cercarli con una delle solite bande di monelli, si sparge la voce nel quartiere, e i funghi finiscono nelle casseruole altrui! » Cosí, quella scoperta che subito gli aveva riempito il cuore d'amore universale, ora gli metteva la smania del possesso, lo circondava di timore geloso e diffidente.

– Il posto dei funghi lo so io e io solo, – disse ai figli, – e guai a voi se vi lasciate sfuggire una parola.

Il mattino dopo, Marcovaldo, avvicinandosi alla fermata del tram, era pieno d'apprensione. Si chinò sull'aiola e con sollievo vide i funghi un po' cresciuti ma non molto, ancora nascosti quasi del tutto dalla terra.

Era cosí chinato, quando s'accorse d'aver qualcuno alle spalle. S'alzò di scatto e cercò di darsi un'aria indifferente. C'era uno spazzino che lo stava guardando, appoggiato alla sua scopa.

Questo spazzino, nella cui giurisdizione[2] si trovava-

---

1. L'uso del vocabolo « trasporto » nel senso di *slancio*, *fervore* non è accettato dai puristi, perché considerato un francesismo.
2. Ambito in cui si esercita un potere; trattandosi della zona che Amadigi deve spazzare, il termine ha un senso ironico.

no i funghi, era un giovane occhialuto e spilungone. Si chiamava Amadigi, e a Marcovaldo era antipatico da tempo, forse per via di quegli occhiali che scrutavano l'asfalto delle strade in cerca di ogni traccia naturale da cancellare a colpi di scopa.

Era sabato; e Marcovaldo passò la mezza giornata libera girando con aria distratta nei pressi dell'aiola, tenendo d'occhio di lontano lo spazzino e i funghi, e facendo il conto di quanto tempo ci voleva a farli crescere.

La notte piovve: come i contadini dopo mesi di siccità si svegliano e balzano di gioia al rumore delle prime gocce, cosí Marcovaldo, unico in tutta la città, si levò a sedere nel letto, chiamò i familiari. « È la pioggia, è la pioggia », e respirò l'odore di polvere bagnata e muffa fresca che veniva di fuori.

All'alba – era domenica –, coi bambini, con un cesto preso in prestito, corse subito all'aiola. I funghi c'erano, ritti sui loro gambi, coi cappucci [1] alti sulla terra ancora zuppa d'acqua. – Evviva! – e si buttarono a raccoglierli.

– Babbo! guarda quel signore lí quanti ne ha presi! – disse Michelino, e il padre alzando il capo vide, in piedi accanto a loro, Amadigi anche lui con un cesto pieno di funghi sotto il braccio.

– Ah, li raccogliete anche voi? – fece lo spazzino. – Allora sono buoni da mangiare? Io ne ho presi un po' ma non sapevo se fidarmi... Piú in là nel corso ce n'è nati di piú grossi ancora... Bene, adesso che lo so, avverto i miei parenti che sono là a discutere se conviene raccoglierli o lasciarli... – e s'allontanò di gran passo.

Marcovaldo restò senza parola: funghi ancora piú grossi, di cui lui non s'era accorto, un raccolto mai

1. La testa del fungo.

sperato, che gli veniva portato via cosí, di sotto il naso. Restò un momento quasi impietrito dall'ira, dalla rabbia, poi – come talora avviene – il tracollo di quelle passioni individuali si trasformò in uno slancio generoso. A quell'ora, molta gente stava aspettando il tram, con l'ombrello appeso al braccio, perché il tempo restava umido e incerto. – Ehi, voialtri! Volete farvi un fritto di funghi questa sera? – gridò Marcovaldo alla gente assiepata alla fermata. – Sono cresciuti i funghi qui nel corso! Venite con me! Ce n'è per tutti! – e si mise alle calcagna di Amadigi, seguito da un codazzo di persone.

Trovarono ancora funghi per tutti e, in mancanza di cesti, li misero negli ombrelli aperti. Qualcuno disse: – Sarebbe bello fare un pranzo tutti insieme! – Invece ognuno prese i suoi funghi e andò a casa propria.

Ma si rividero presto, anzi la stessa sera, nella medesima corsia dell'ospedale, dopo la lavatura gastrica che li aveva tutti salvati dall'avvelenamento: non grave, perché la quantità di funghi mangiati da ciascuno era assai poca.

Marcovaldo e Amadigi avevano i letti vicini e si guardavano in cagnesco.

Andando ogni mattino al suo lavoro, Marcovaldo passava sotto il verde d'una piazza alberata, un quadrato di giardino pubblico ritagliato in mezzo a quattro vie. Alzava l'occhio tra le fronde degli ippocastani, dov'erano piú folte e solo lasciavano dardeggiare gialli raggi nell'ombra trasparente di linfa, ed ascoltava il chiasso dei passeri stonati ed invisibili sui rami. A lui parevano usignoli; e si diceva: « Oh, potessi destarmi una volta al cinguettare degli uccelli e non al suono della sveglia e allo strillo del neonato Paolino e all'inveire di mia moglie Domitilla! » oppure: « Oh, potessi dormire qui, solo in mezzo a questo fresco verde e non nella mia stanza bassa e calda; qui nel silenzio, non nel russare e parlare nel sonno di tutta la famiglia e correre di tram giú nella strada; qui nel buio naturale della notte, non in quello artificiale delle persiane chiuse, zebrato dal riverbero dei fanali; oh, potessi vedere foglie e cielo aprendo gli occhi! » Con questi pensieri tutti i giorni Marcovaldo incominciava le sue otto ore giornaliere – piú gli straordinari [1] – di manovale non qualificato [2].

C'era, in un angolo della piazza, sotto una cupola d'ippocastani, una panchina appartata e seminascosta. E Marcovaldo l'aveva prescelta come sua. In quelle

1. Le ore di lavoro « straordinario » – cioè dopo il normale orario – la cui retribuzione è maggiore della normale paga oraria.
2. La denominazione ufficiale della mano d'opera meno retribuita.

notti d'estate, quando nella camera in cui dormivano in cinque non riusciva a prendere sonno, sognava la panchina come un senza tetto può sognare il letto d'una reggia. Una notte, zitto, mentre la moglie russava ed i bambini scalciavano nel sonno, si levò dal letto, si vestí, prese sottobraccio il suo guanciale, uscí e andò alla piazza.

Là era il fresco e la pace. Già pregustava il contatto di quegli assi d'un legno – ne era certo – morbido e accogliente, in tutto preferibile al pesto materasso del suo letto; avrebbe guardato per un minuto le stelle e avrebbe chiuso gli occhi in un sonno riparatore d'ogni offesa della giornata.

Il fresco e la pace c'erano, ma non la panca libera. Vi sedevano due innamorati, guardandosi negli occhi. Marcovaldo, discreto, si ritrasse. «È tardi, – pensò, – non passeranno mica la notte all'aperto! La finiranno di tubare [1]! »

Ma i due non tubavano mica: litigavano. E tra due innamorati un litigio non si può dire mai a che ora andrà a finire.

Lui diceva: – Ma tu non vuoi ammettere che dicendo quello che hai detto sapevi di farmi dispiacere anziché piacere come facevi finta di credere [2]?

Marcovaldo capí che sarebbe andata per le lunghe.

– No, non l'ammetto, – rispose lei, e Marcovaldo già se l'aspettava.

– Perché non l'ammetti?

– Non l'ammetterò mai.

«Ahi », pensò Marcovaldo. Col suo guanciale stretto sotto il braccio, andò a fare un giro. Andò a guarda-

1. È il verso che fanno i colombi; in senso figurato, la conversazione degli innamorati.
2. Questa battuta come le seguenti vogliono rendere un contrasto inconcludente di due innamorati che non ricordano nemmeno perché hanno cominciato a discutere.

re la luna, che era piena, grande sugli alberi e i tetti. Tornò verso la panchina, girando un po' al largo per lo scrupolo di disturbarli, ma in fondo sperando di dar loro un po' di noia e persuaderli ad andarsene. Ma erano troppo infervorati nella discussione per accorgersi di lui.

– Allora ammetti?

– No, no, non lo ammetto affatto!

– Ma ammettendo che tu ammettessi?

– Ammettendo che ammettessi, non ammetterei quel che vuoi farmi ammettere tu!

Marcovaldo tornò a guardare la luna, poi andò a guardare un semaforo che c'era un po' piú in là. Il semaforo segnava giallo, giallo, giallo, continuando ad accendersi e riaccendersi. Marcovaldo confrontò la luna e il semaforo. La luna col suo pallore misterioso, giallo anch'esso, ma in fondo verde e anche azzurro, e il semaforo con quel suo gialletto volgare. E la luna, tutta calma, irradiante la sua luce senza fretta, venata ogni tanto di sottili resti di nubi, che lei con maestà si lasciava cadere alle spalle; e il semaforo intanto sempre lí accendi e spegni, accendi e spegni, affannoso, falsamente vivace, stanco e schiavo.

Tornò a vedere se la ragazza aveva ammesso: macché, non ammetteva, anzi non era piú lei a non ammettere, ma lui. La situazione era tutta cambiata, ed era lei che diceva a lui: – Allora, ammetti? – e lui a dire di no. Cosí passò mezz'ora. Alla fine lui ammise, o lei, insomma Marcovaldo li vide alzarsi e andarsene tenendosi per mano.

Corse alla panchina, si buttò giú, ma intanto, nell'attesa, un po' della dolcezza che s'aspettava di trovarvi non era piú nella disposizione di sentirla, e anche il letto di casa non lo ricordava piú cosí duro. Ma queste erano sfumature, la sua intenzione di godersi la notte all'aperto era ben ferma: sprofondò il viso nel guanciale e si dispose al sonno, a un sonno come da tempo ne aveva smesso l'abitudine.

Ora aveva trovato la posizione piú comoda. Non si sarebbe spostato d'un millimetro per nulla al mondo. Peccato soltanto che a stare cosí, il suo sguardo non cadesse su di una prospettiva d'alberi e cielo soltanto, in modo che il sonno gli chiudesse gli occhi su una visione di assoluta serenità naturale, ma davanti a lui si succedessero, in scorcio, un albero, la spada d'un generale dall'alto del suo monumento, un altro albero, un tabellone delle affissioni pubbliche, un terzo albero, e poi, un po' piú lontano, quella falsa luna intermittente del semaforo che continuava a sgranare il suo giallo, giallo, giallo.

Bisogna dire che in questi ultimi tempi Marcovaldo aveva un sistema nervoso in cosí cattivo stato che, nonostante fosse stanco morto, bastava una cosa da nulla, bastava si mettesse in testa che qualcosa gli dava fastidio, e lui non dormiva. E adesso gli dava fastidio quel semaforo che s'accendeva e si spegneva. Era laggiú, lontano, un occhio giallo che ammicca, solitario: non ci sarebbe stato da farci caso. Ma Marcovaldo doveva proprio essersi buscato un esaurimento: fissava quell'accendi e spegni e si ripeteva: «Come dormirei bene se non ci fosse quell'affare! Come dormirei bene!» Chiudeva gli occhi e gli pareva di sentire sotto le palpebre l'accendi e spegni di quello sciocco giallo; strizzava gli occhi e vedeva decine di semafori; li riapriva, era sempre daccapo.

S'alzò. Doveva mettere uno schermo tra sé e il semaforo. Andò fino al monumento del generale e guardò intorno. Ai piedi del monumento c'era una corona d'alloro, bella spessa, ma ormai secca e mezzo spampanata[1], montata su bacchette, con un gran nastro

1. Le foglie secche tendevano a staccarsi, come i petali d'un fiore che «si spampana».

sbiadito: «*I Lancieri del Quindicesimo nell'Anniversario della Gloria*». Marcovaldo s'arrampicò sul piedestallo, issò la corona, la infilò alla sciabola del generale.

Il vigile notturno Tornaquinci in perlustrazione attraversava la piazza in bicicletta; Marcovaldo s'appostò dietro la statua. Tornaquinci aveva visto sul terreno l'ombra del monumento muoversi: si fermò pieno di sospetto. Scrutò quella corona sulla sciabola, capí che c'era qualcosa fuori posto, ma non sapeva bene che cosa. Puntò lassú la luce d'una lampadina a riflettore, lesse: «*I Lancieri del Quindicesimo nell'Anniversario della Gloria*», scosse il capo in segno d'approvazione e se ne andò.

Per lasciarlo allontanare, Marcovaldo rifece il giro della piazza. In una via vicina, una squadra d'operai stava aggiustando uno scambio[1] alle rotaie del tram. Di notte, nelle vie deserte, quei gruppetti d'uomini accucciati al bagliore dei saldatori autogeni[2], e le voci che risuonano e poi subito si smorzano, hanno un'aria segreta come di gente che prepari cose che gli abitanti del giorno non dovranno mai sapere. Marcovaldo si avvicinò, stette a guardare la fiamma, i gesti degli operai, con un'attenzione un po' impacciata e gli occhi che gli venivano sempre piú piccoli dal sonno. Cercò una sigaretta in tasca, per tenersi sveglio, ma non aveva cerini. – Chi mi fa accendere? – chiese agli operai. – Con questo? – disse l'uomo della fiamma ossidrica, lanciando un volo di scintille.

---

1. Meccanismo che sposta un pezzo delle rotaie, permettendo al tram di passare su un altro binario.
2. Lampada che produce una fiamma ad altissima temperatura per la saldatura *autogena* di due pezzi di metallo, cioè ottenuta facendo fondere le parti dei pezzi che devono aderire senza bisogno di stagno o altra sostanza. Piú avanti è specificato che si tratta di *fiamme ossidriche* cioè che bruciano idrogeno nell'ossigeno.

Un altro operaio s'alzò, gli porse la sigaretta accesa. – Fa la notte anche lei [1]?

– No, faccio il giorno, – disse Marcovaldo.

– E cosa fa in pièdi a quest'ora? Noi tra poco si smonta.

Ritornò alla panchina. Si sdraiò. Ora il semaforo era nascosto alla sua vista; poteva addormentarsi, finalmente.

Non aveva badato al rumore, prima. Ora, quel ronzio, come un cupo soffio aspirante e insieme come un raschio interminabile e anche uno sfrigolio, continuava a occupargli gli orecchi. Non c'è suono piú struggente di quello d'un saldatore, una specie d'urlo sottovoce. Marcovaldo, senza muoversi, rannicchiato com'era sulla panca, il viso contro il raggrinzito guanciale, non vi trovava scampo, e il rumore continuava a evocargli la scena illuminata dalla fiamma grigia che spruzzava scintille d'oro intorno, gli uomini accoccolati in terra col vetro affumicato davanti al viso, la pistola del saldatore nella mano mossa da un tremito veloce, l'alone d'ombra intorno al carrello degli attrezzi, all'alto castello di traliccio [2] che arrivava fino ai fili. Aperse gli occhi, si rigirò sulla panca, guardò le stelle tra i rami. I passeri insensibili continuavano a dormire lassú in mezzo alle foglie.

Addormentarsi come un uccello, avere un'ala da chinarci sotto il capo, un mondo di frasche sospese sopra il mondo terrestre, che appena s'indovina laggiú, attutito e remoto. Basta cominciare a non accettare il proprio stato presente e chissamai dove s'arriva:

---

1. Il senso del dialogo con gli operai è questo: « Lavora anche lei col turno notturno? » « No, ho un normale orario diurno ». « Perché non è a dormire, allora? Noi stiamo già per finire il nostro turno ».

2. Struttura costituita di elementi collegati tra loro in modo da formare un sistema rigido a maglie di solito triangolari.

ora Marcovaldo per dormire aveva bisogno d'un qualcosa che non sapeva bene neanche lui, neppure un silenzio vero e proprio gli sarebbe bastato piú, ma un fondo di rumore piú morbido del silenzio, un lieve vento che passa nel folto d'un sottobosco, o un mormorio d'acqua che rampolla e si perde in un prato.

Aveva un'idea in testa e s'alzò. Non proprio un'idea, perché mezzo intontito dal sonno che aveva in pelle in pelle, non spiccicava bene alcun pensiero; ma come il ricordo che là intorno ci fosse qualche cosa connessa all'idea dell'acqua, al suo scorrere garrulo e sommesso.

Difatti c'era una fontana, lí vicino, illustre opera di scultura e d'idraulica, con ninfe, fauni, dèi fluviali, che intrecciavano zampilli, cascate e giochi d'acqua. Solo che era asciutta: alla notte, d'estate, data la minor disponibilità dell'acquedotto, la chiudevano. Marcovaldo girò lí intorno un po' come un sonnambulo; piú che per ragionamento per istinto sapeva che una vasca deve avere un rubinetto. Chi ha occhio, trova quel che cerca anche a occhi chiusi. Aperse il rubinetto: dalle conchiglie, dalle barbe, dalle froge dei cavalli si levarono alti getti, i finti anfratti si velarono di manti scintillanti, e tutta quest'acqua suonava come l'organo d'un coro nella grande piazza vuota, di tutti i fruscii e gli scrosci che può fare l'acqua messi insieme. Il vigile notturno Tornaquinci, che ripassava in bicicletta nero nero a mettere bigliettini sotto gli usci, al vedersi esplodere tutt'a un tratto davanti agli occhi la fontana come un liquido fuoco d'artificio, per poco non cascò di sella.

Marcovaldo, cercando d'aprir gli occhi meno che poteva per non lasciarsi sfuggire quel filo di sonno che gli pareva d'aver già acchiappato, corse a ributtarsi sulla panca. Ecco, adesso era come sul ciglio d'un torrente, col bosco sopra di lui, ecco, dormiva.

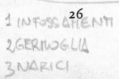
1 INFOSSATI ENTI
2 GERMOGLIA
3 NARICI

Sognò un pranzo, il piatto era coperto come per non far raffreddare la pasta. Lo scoperse e c'era un topo morto, che puzzava. Guardò nel piatto della moglie: un'altra carogna di topo. Davanti ai figli, altri topini, piú piccoli ma anch'essi mezzo putrefatti. Scoperchiò la zuppiera e vide un gatto con la pancia all'aria, e il puzzo lo svegliò.

Poco distante c'era il camion della nettezza urbana che va la notte a vuotare i tombini dei rifiuti. Distingueva, nella mezzaluce dei fanali, la gru che gracchiava a scatti, le ombre degli uomini ritti in cima alla montagna di spazzatura, che guidavano per mano il recipiente appeso alla carrucola, lo rovesciavano nel camion, pestavano con colpi di pala, con voci cupe e rotte come gli strappi della gru: – Alza... Molla... Va' in malora... – e certi cozzi metallici come opachi gong, e il riprendere del motore, lento, per poi fermarsi poco piú in là e ricominciare la manovra.

Ma il sonno di Marcovaldo era ormai in una zona in cui i rumori non lo raggiungevano piú, e quelli poi, pur cosí sgraziati e raschianti, venivano come fasciati da un alone soffice d'attutimento, forse per la consistenza stessa della spazzatura stipata nei furgoni: ma era il puzzo a tenerlo sveglio, il puzzo acuito da un'intollerabile idea di puzzo, per cui anche i rumori, quei rumori attutiti e remoti, e l'immagine in controluce dell'autocarro con la gru non giungevano alla mente come rumore e vista ma soltanto come puzzo. E Marcovaldo smaniava, inseguendo invano con la fantasia delle narici la fragranza d'un roseto.

Il vigile notturno Tornaquinci si sentí la fronte madida di sudore intravedendo un'ombra umana correre carponi per un'aiola, strappare rabbiosamente dei ranuncoli e sparire. Ma pensò essersi trattato o d'un cane, di competenza degli accalappiacani, o d'un'allucinazione, di competenza del medico alienista, o d'un

27

licantropo[1], di competenza non si sa bene di chi ma preferibilmente non sua, e scantonò.

Intanto, Marcovaldo, ritornato al suo giaciglio, si premeva contro il naso il convulso[2] mazzo di ranuncoli, tentando di colmarsi l'olfatto del loro profumo: poco ne poteva però spremere da quei fiori quasi inodori; ma già la fragranza di rugiada, di terra e d'erba pesta era un gran balsamo. Cacciò l'ossessione dell'immondizia e dormí. Era l'alba.

Il risveglio fu un improvviso spalancarsi di cielo pieno di sole sopra la sua testa, un sole che aveva come cancellato le foglie e le restituiva alla vista semicieca a poco a poco. Ma Marcovaldo non poteva indugiare perché un brivido l'aveva fatto saltar su: lo spruzzo d'un idrante, col quale i giardinieri del comune innaffiano le aiole, gli faceva correre freddi rivoli giú per i vestiti. E intorno scalpitavano i tram, i camion dei mercati, i carretti a mano, i furgoncini, e gli operai sulle biciclette a motore correvano alle fabbriche e le saracinesche dei negozi precipitavano verso l'alto, e le finestre delle case arrotolavano le persiane, e i vetri sfavillavano. Con la bocca e gli occhi impastati, stranito, con la schiena dura e un fianco pesto, Marcovaldo correva al suo lavoro.

1. L'«uomo-lupo»: colui che nelle notti di luna piena (secondo la leggenda) si trasforma in lupo, o (secondo la patologia delle malattie nervose) è spinto a crisi isteriche che provocano ululati e altre manifestazioni da lupo.
2. Qui sta per: afferrato convulsamente.

1 CONFUSO

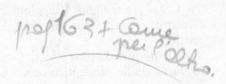

Gli itinerari che gli uccelli seguono migrando, verso sud o verso nord, d'autunno o a primavera, traversano di rado la città. Gli stormi tagliano il cielo alti sopra le striate groppe dei campi e lungo il margine dei boschi, ed ora sembrano seguire la ricurva linea di un fiume o il solco d'una valle, ora le vie invisibili del vento. Ma girano al largo, appena le catene di tetti d'una città gli si parano davanti.

Pure, una volta, un volo di beccacce autunnali apparve nella fetta di cielo d'una via. E se ne accorse solo Marcovaldo, che camminava sempre a naso in aria. Era su un triciclo a furgoncino, e vedendo gli uccelli pedalò piú forte, come andasse al loro inseguimento, preso da una fantasticheria di cacciatore, sebbene non avesse mai imbracciato altro fucile che quello del soldato.

E cosí andando, cogli occhi agli uccelli che volavano, si trovò in mezzo a un crocevia, col semaforo rosso, tra le macchine, e fu a un pelo dall'essere investito. Mentre un vigile con la faccia paonazza gli prendeva nome e indirizzo sul taccuino, Marcovaldo cercò ancora con lo sguardo quelle ali nel cielo, ma erano scomparse.

In ditta, la multa gli suscitò aspri rimproveri.
– Manco i semafori capisci? – gli gridò il capore-

parto signor Viligelmo. – Ma che cosa guardavi, te-stavuota?

– Uno stormo di beccacce, guardavo... – disse lui.

– Cosa? – e al signor Viligelmo, che era un vecchio cacciatore, scintillarono gli occhi. E Marcovaldo raccontò.

– Sabato prendo cane e fucile! – disse il caporeparto, tutto arzillo, dimentico ormai della sfuriata. – È cominciato il passo, su in collina. Quello era certo uno stormo spaventato dai cacciatori lassú, che ha piegato sulla città...

Per tutto quel giorno il cervello di Marcovaldo macinò, macinò come un mulino. « Se sabato, com'è probabile, ci sarà pieno di cacciatori in collina, chissà quante beccacce caleranno in città; e se io ci so fare, domenica mangerò beccaccia arrosto ».

Il casamento dove abitava Marcovaldo aveva il tetto fatto a terrazzo, coi fili di ferro per stendere la roba ad asciugare. Marcovaldo ci salí con tre dei suoi figli, con un bidone di vischio, un pennello e un sacco di granone. Mentre i bambini spargevano chicchi di granone dappertutto, lui spennellava di vischio i parapetti, i fili di ferro, le cornici dei comignoli. Ce ne mise tanto che per poco Filippetto, giocando, non ci restò lui appiccicato.

Quella notte Marcovaldo sognò il tetto cosparso di beccacce invischiate sussultanti. Sua moglie Domitilla, piú vorace e pigra, sognò anatre già arrosto posate sui comignoli. La figlia Isolina, romantica, sognava colibrí da adornarsene il cappello. Michelino sognò di trovarci una cicogna.

Il giorno dopo, a ogni ora, uno dei bambini andava d'ispezione sul tetto: faceva appena capolino dal lucernario, perché, nel caso stessero per posarsi, non si spaventassero, poi tornava giú a dare le notizie. Le notizie non erano mai buone. Finché, verso mezzogiorno, Pietruccio tornò gridando: – Ci sono! Papà! Vieni!

Marcovaldo andò su con un sacco. Impegolato nel vischio c'era un povero piccione, uno di quei grigi colombi cittadini, abituati alla folla e al frastuono delle piazze. Svolazzando intorno, altri piccioni lo contemplavano tristemente, mentre cercava di spiccicare le ali dalla poltiglia su cui s'era malaccortamente posato.

La famiglia di Marcovaldo stava spolpando le ossicine di quel magro e tiglioso piccione fatto arrosto, quando sentirono bussare.

Era la cameriera della padrona di casa: – La signora la vuole! Venga subito!

Molto preoccupato, perché era indietro di sei mesi con la pigione e temeva lo sfratto, Marcovaldo andò all'appartamento della signora, al piano nobile. Appena entrato nel salotto vide che c'era già un visitatore: la guardia dalla faccia paonazza.

– Venga avanti, Marcovaldo, – disse la signora. – Mi avvertono che sul nostro terrazzo c'è qualcuno che dà la caccia ai colombi del Comune. Ne sa niente, lei?

Marcovaldo si sentí gelare.

– Signora! Signora! – gridò in quel momento una voce di donna.

– Che c'è, Guendalina?

Entrò la lavandaia. – Sono andata a stendere in terrazzo, e m'è rimasta tutta la biancheria appiccicata. Ho tirato per staccarla, ma si strappa! Tutta roba rovinata! Cosa mai sarà?

Marcovaldo si passava una mano sullo stomaco come se non riuscisse a digerire.

31

Quel mattino lo svegliò il silenzio. Marcovaldo si tirò su dal letto col senso di qualcosa di strano nell'aria. Non capiva che ora era, la luce tra le stecche delle persiane era diversa da quella di tutte le ore del giorno e della notte. Aperse la finestra: la città non c'era piú, era stata sostituita da un foglio bianco. Aguzzando lo sguardo, distinse, in mezzo al bianco, alcune linee quasi cancellate, che corrispondevano a quelle della vista abituale: le finestre e i tetti e i lampioni lí intorno, ma perdute sotto tutta la neve che c'era calata sopra nella notte.

– La neve! – gridò Marcovaldo alla moglie, ossia fece per gridare, ma la voce gli uscí attutita. Come sulle linee e sui colori e sulle prospettive, la neve era caduta sui rumori, anzi sulla possibilità stessa di far rumore; i suoni, in uno spazio imbottito, non vibravano.

Andò al lavoro a piedi; i tram erano fermi per la neve. Per strada, aprendosi lui stesso la sua pista, si sentí libero come non s'era mai sentito. Nelle vie cittadine ogni differenza tra marciapiedi e carreggiata era scomparsa, veicoli non ne potevano passare, e Marcovaldo, anche se affondava fino a mezza gamba ad ogni passo e si sentiva infiltrare la neve nelle calze, era diventato padrone di camminare in mezzo alla strada, di calpestare le aiuole, d'attraversare fuori delle linee prescritte, di avanzare a zig-zag.

Le vie e i corsi s'aprivano sterminate e deserte come candide gole tra rocce di montagne. La città nascosta sotto quel mantello chissà se era sempre la stessa o se nella notte l'avevano cambiata con un'altra? Chissà se sotto quei monticelli bianchi c'erano ancora le pompe della benzina, le edicole, le fermate dei tram o se non c'erano che sacchi e sacchi di neve? Marcovaldo camminando sognava di perdersi in una città diversa: invece i suoi passi lo riportavano proprio al suo posto di lavoro di tutti i giorni, il solito magazzino, e, varcata la soglia, il manovale stupí di ritrovarsi tra quelle mura sempre uguali, come se il cambiamento che aveva annullato il mondo di fuori avesse risparmiato solo la sua ditta.

Lí ad aspettarlo, c'era una pala, alta piú di lui. Il magazziniere-capo signor Viligelmo, porgendogliela, gli disse: – Davanti alla ditta la spalatura del marciapiede spetta a noi, cioè a te –. Marcovaldo imbracciò la pala e tornò a uscire.

Spalar neve non è un gioco, specie per chi si trova a stomaco leggero, ma Marcovaldo sentiva la neve come amica, come un elemento che annullava la gabbia di muri in cui era imprigionata la sua vita. E di gran lena si diede al lavoro, facendo volare gran palate di neve dal marciapiede al centro della via.

Anche il disoccupato Sigismondo era pieno di riconoscenza per la neve, perché essendosi arruolato quel mattino tra gli spalatori del comune, aveva davanti finalmente qualche giorno di lavoro assicurato. Ma questo suo sentimento, anziché a vaghe fantasie come Marcovaldo, lo portava a calcoli ben precisi su quanti metri cubi di neve doveva spostare per sgomberare tanti metri quadrati; mirava insomma a mettersi in buona luce con il caposquadra; e – segreta sua ambizione – a far carriera.

Sigismondo si volta e cosa vede? Il tratto di carreggiata appena sgomberata tornava a ricoprirsi di neve

33

sotto i disordinati colpi di pala d'un tizio che si affannava lí sul marciapiede. Gli prese quasi un accidente. Corse ad affrontarlo, puntandogli la sua pala colma di neve contro il petto. – Ehi, tu! Sei tu che tiri quella neve lí?

– Eh? Cosa? – trasalí Marcovaldo, ma ammise: – Ah, forse sí.

– Be', o te la riprendi subito con la tua paletta o te la faccio mangiare fino all'ultimo fiocco.

– Ma io devo spalare il marciapiede.

– E io la strada. E be'?

– Dove la metto?

– Sei del comune?

– No. Della ditta Sbav.

Sigismondo gli insegnò ad ammucchiare la neve sul bordo e Marcovaldo gli ripulí tutto il suo tratto. Soddisfatti, a pale piantate nella neve, stettero a contemplare l'opera compiuta.

– Hai una cicca? – chiese Sigismondo.

Si stavano accendendo mezza sigaretta per uno, quando un'autospazzaneve percorse la via sollevando due grandi onde bianche che ricadevano ai lati. Ogni rumore quel mattino era solo un fruscio: quando i due alzarono lo sguardo, tutto il tratto che avevano pulito era di nuovo ricoperto di neve. – Che cos'è successo? È tornato a nevicare? – e levarono gli occhi al cielo. La macchina, ruotando i suoi spazzoloni, già girava alla svolta.

Marcovaldo imparò ad ammucchiare la neve in un muretto compatto. Se continuava a fare dei muretti cosí, poteva costruirsi delle vie per lui solo, vie che avrebbero portato dove sapeva solo lui, e in cui tutti gli altri si sarebbero persi. Rifare la città, ammucchiare montagne alte come case, che nessuno avrebbe potuto distinguere dalle case vere. O forse ormai tutte le case erano diventate di neve, dentro e fuori; tutta una città di neve con i monumenti e i campanili e gli alberi, una città che si poteva disfare a colpi di pala e rifarla in un altro modo.

Al bordo del marciapiede a un certo punto c'era un mucchio di neve ragguardevole. Marcovaldo già stava per livellarlo all'altezza dei suoi muretti, quando s'accorse che era un'automobile: la lussuosa macchina del presidente del consiglio d'amministrazione [1] commendator Alboino, tutta ricoperta di neve. Visto che la differenza tra un'auto e un mucchio di neve era cosí poca, Marcovaldo con la pala si mise a modellare la forma d'una macchina. Venne bene: davvero tra le due non si riconosceva piú qual era la vera. Per dare gli ultimi tocchi all'opera Marcovaldo si serví di qualche rottame che gli era capitato sotto la pala: un barattolo arrugginito capitava a proposito per modellare la forma d'un fanale; con un pezzo di rubinetto la portiera ebbe la sua maniglia.

Ci fu un gran sberrettamento [2] di portieri, uscieri e fattorini, e il presidente commendator Alboino uscí dal portone. Miope ed efficiente, marciò deciso a raggiungere in fretta la sua macchina, afferrò il rubinetto che sporgeva, tirò, abbassò la testa e s'infilò nel mucchio di neve fino al collo.

Marcovaldo aveva già svoltato l'angolo e spalava nel cortile.

I ragazzi del cortile avevano fatto un uomo di neve. – Gli manca il naso! – disse uno di loro. – Cosa ci mettiamo? Una carota! – e corsero nelle rispettive cucine a cercare tra gli ortaggi.

Marcovaldo contemplava l'uomo di neve. «Ecco, sotto la neve non si distingue cosa è di neve e cosa è

---

1. Le società per azioni sono amministrate da un « consiglio d'amministrazione » eletto dagli azionisti.
2. Togliersi di berretti: tutto il personale saluta il commendatore.

soltanto ricoperto. Tranne in un caso: l'uomo, perché si sa che io sono io e non questo qui ».

Assorto nelle sue meditazioni, non s'accorse che dal tetto due uomini gridavano: – Ehi, monsú [1], si tolga un po' di lí! – Erano quelli che fanno scendere la neve dalle tegole. E tutt'a un tratto, un carico di neve di tre quintali gli piombò proprio addosso.

I bambini tornarono col loro bottino di carote. – Oh! Hanno fatto un altro uomo di neve! – In mezzo al cortile c'erano due pupazzi identici, vicini.

– Mettiamogli il naso a tutti e due! – e affondarono due carote nelle teste dei due uomini di neve.

Marcovaldo, piú morto che vivo, sentí, attraverso l'involucro in cui era sepolto e congelato, arrivargli del cibo. E masticò.

– Mammamia! La carota è sparita! – I bambini erano molto spaventati.

Il piú coraggioso non si perse d'animo. Aveva un naso di ricambio: un peperone; e lo applicò all'uomo di neve. L'uomo di neve ingoiò anche quello.

Allora provarono a mettergli per naso un pezzo di carbone, di quelli a bacchettina. Marcovaldo lo sputò via con tutte le sue forze. – Aiuto! È vivo! È vivo! – I ragazzi scapparono.

In un angolo del cortile c'era una grata da cui usciva una nube di calore. Marcovaldo, con pesante passo d'uomo di neve, si andò a mettere lí. La neve gli si sciolse addosso, colò in rivoli sui vestiti: ne ricomparve un Marcovaldo tutto gonfio e intasato dal raffreddore.

Prese la pala, soprattutto per scaldarsí, e si mise al lavoro nel cortile. Aveva uno starnuto che s'era fermato in cima al naso, stava lí lí, e non si decideva a saltar fuori. Marcovaldo spalava, con gli occhi semi-

1. Piemontesismo: signore.

chiusi, e lo starnuto restava sempre appollaiato in cima al suo naso. Tutt'a un tratto: l'« Aaaaah... », fu quasi un boato, e il: « ... ciú! » fu piú forte che lo scoppio d'una mina. Per lo spostamento d'aria, Marcovaldo fu sbatacchiato contro il muro.

Altro che spostamento: era una vera tromba d'aria che lo starnuto aveva provocato. Tutta la neve del cortile si sollevò, vorticò come in una tormenta, e fu risucchiata in su, polverizzandosi nel cielo.

Quando Marcovaldo riaperse gli occhi dal suo tramortimento, il cortile era completamente sgombro, senza neppure un fiocco di neve. E agli occhi di Marcovaldo si ripresentò il cortile di sempre, i grigi muri, le casse del magazzino, le cose di tutti i giorni spigolose e ostili.

L'inverno se ne andò e si lasciò dietro i dolori reumatici. Un leggero sole meridiano veniva a rallegrare le giornate, e Marcovaldo passava qualche ora a guardar spuntare le foglie, seduto su una panchina, aspettando di tornare a lavorare. Vicino a lui veniva a sedersi un vecchietto, ingobbito nel suo cappotto tutto rammendi: era un certo signor Rizieri, pensionato e solo al mondo, anch'egli assiduo delle panchine soleggiate. Ogni tanto questo signor Rizieri dava un guizzo, gridava – Ahi! – e s'ingobbiva ancora di piú nel suo cappotto. Era carico di reumatismi, di artriti, di lombaggini, che raccoglieva nell'inverno umido e freddo e che continuavano a seguirlo tutto l'anno. Per consolarlo, Marcovaldo gli spiegava le varie fasi dei reumatismi suoi, e di quelli di sua moglie e di sua figlia maggiore Isolina, che, poveretta, non cresceva tanto sana.

Marcovaldo si portava ogni giorno il pranzo in un pacchetto di carta da giornale; seduto sulla panchina lo svolgeva e dava il pezzo di giornale spiegazzato al signor Rizieri che tendeva la mano impaziente, dicendo: – Vediamo che notizie ci sono, – e lo leggeva con interesse sempre uguale, anche se era di due anni prima.

Cosí un giorno ci trovò un articolo sul sistema di guarire dai reumatismi col veleno d'api.

– Sarà col miele, – disse Marcovaldo, sempre propenso all'ottimismo.

– No, – fece Rizieri, – col veleno, dice qui, con quello del pungiglione, – e gli lesse alcuni brani. Discussero a lungo sulle api, sulle loro virtú e su quanto poteva costare quella cura.

Da allora, camminando per i corsi, Marcovaldo tendeva l'orecchio a ogni ronzio, seguiva con lo sguardo ogni insetto che gli volava attorno. Cosí, osservando i giri d'una vespa dal grosso addome a strisce nere e gialle, vide che si cacciava nel cavo d'un albero e che altre vespe uscivano: un brusio, un va e vieni che annunciavano la presenza di un intero vespaio dentro al tronco. Marcovaldo s'era messo subito alla caccia. Aveva un barattolo di vetro, in fondo al quale restavano ancora due dita di marmellata. Lo posò aperto vicino all'albero. Presto una vespa gli ronzò intorno, ed entrò, attratta dall'odore zuccherino; Marcovaldo fu svelto a tappare il barattolo con un coperchio di carta.

E al signor Rizieri, appena lo vide, poté dire: – Su, su, ora le faccio l'iniezione! – mostrandogli il flacone con la vespa infuriata prigioniera.

Il vecchietto era esitante, ma Marcovaldo non voleva a nessun costo rimandare l'esperimento, e insisteva per farlo lí stesso, sulla loro panchina: non c'era neanche bisogno che il paziente si spogliasse. Con timore e insieme con speranza, il signor Rizieri sollevò un lembo del cappotto, della giacca, della camicia, e aprendosi un varco tra le maglie bucate si scoperse un punto dei lombi dove gli doleva. Marcovaldo applicò lí la bocca del flacone e strappò via la carta che faceva da coperchio. Da principio non successe niente; la vespa stava ferma: s'era addormentata? Marcovaldo per svegliarla menò una botta sul fondo del barattolo. Era proprio il colpo che ci voleva: l'insetto sfrecciò avanti e conficcò il pungiglione nei lombi del signor Rizieri. Il vecchietto cacciò un urlo, saltò in piedi e prese a camminare come un soldato che fa il passo di parata, sfregandosi la parte punta e sgranando una sequela di confuse imprecazioni.

Marcovaldo era tutto soddisfatto, mai il vecchietto era stato cosí diritto e marziale. Ma s'era fermato un vigile lí vicino, e guardava con tanto d'occhi; Marcovaldo prese Rizieri sottobraccio e s'allontanò fischiettando.

Rincasò con un'altra vespa nel barattolo. Convincere la moglie a farsi fare la puntura non fu affare da poco, ma alla fine ci riuscí. Per un po', se non altro, Domitilla si lamentò solo del bruciore della vespa.

Marcovaldo si diede a catturare vespe a tutt'andare. Fece un'iniezione a Isolina, una seconda a Domitilla, perché solo una cura sistematica poteva recare giovamento. Poi si decise a farsi pungere anche lui. I bambini, si sa come sono, dicevano: — Anch'io, anch'io, — ma Marcovaldo preferí munirli di barattoli e indirizzarli alla cattura di nuove vespe, per alimentare il consumo giornaliero.

Il signor Rizieri venne a cercarlo a casa; era con lui un altro vecchietto, il cavalier Ulrico, che trascinava una gamba e voleva cominciare subito la cura.

La voce si sparse; Marcovaldo ora lavorava in serie: teneva sempre una mezza dozzina di vespe di riserva, ciascuna nel suo barattolo di vetro, disposte su una mensola. Applicava il barattolo sulle terga dei pazienti come fosse una siringa, tirava via il coperchio di carta, e quando la vespa aveva punto, sfregava col cotone imbevuto d'alcool, con la mano disinvolta d'un medico provetto. Casa sua consisteva d'una sola stanza, in cui dormiva tutta la famiglia; la divisero con un paravento improvvisato, di qua sala d'aspetto, di là studio. Nella sala d'aspetto la moglie di Marcovaldo introduceva i clienti e ritirava gli onorari. I bambini prendevano i barattoli vuoti e correvano dalle parti del vespaio a far rifornimento. Qualche volta una vespa li pungeva, ma non piangevano quasi piú perché sapevano che faceva bene alla salute.

Quell'anno i reumatismi serpeggiavano tra la popolazione come i tentacoli d'una piovra; la cura di Marcovaldo venne in grande fama; e al sabato pomeriggio egli vide la sua povera soffitta invasa d'una piccola folla d'uomini e donne afflitti, che si premevano una mano sulla schiena o sui fianchi, alcuni dall'aspetto cencioso di mendicanti, altri con l'aria di persone agiate, attratti dalla novità di quel rimedio.

— Presto, — disse Marcovaldo ai suoi tre figli maschi, — prendete i barattoli e andatemi ad acchiappare piú vespe che potete —. I ragazzi andarono.

Era una giornata di sole, molte vespe ronzavano nel corso. I ragazzi erano soliti dar loro la caccia un po' discosti dall'albero in cui era il vespaio, puntando sugli insetti isolati. Ma quel giorno Michelino, per far presto e prenderne di piú, si mise a cacciare proprio intorno all'imboccatura del vespaio. — Cosí si fa, — diceva ai fratelli, e cercava di acchiappare una vespa cacciandole sopra il barattolo appena si posava. Ma quella ogni volta volava via e ritornava a posarsi sempre piú vicino al vespaio. Ora era proprio sull'orlo della cavità del tronco, e Michelino stava per calarle sopra il flacone, quando sentí altre due grosse vespe avventarglisi contro come se volessero pungerlo al capo. Si schermí, ma sentí la trafittura dei pungiglioni e, gridando dal dolore, lasciò andare il barattolo. Subito, l'apprensione per quel che aveva fatto gli cancellò il dolore: il barattolo era caduto dentro la bocca del vespaio. Non si sentiva piú nessun ronzio, non usciva piú nessuna vespa; Michelino senza la forza neppure di gridare, indietreggiò d'un passo, quando dal vespaio scoppiò fuori una nuvola nèra, spessa, con un ronzio assordante: erano tutte le vespe che avanzavano in uno sciame infuriato!

I fratelli sentirono Michelino cacciare un urlo e partire correndo come non aveva mai corso in vita sua. Pareva andasse a vapore, tanto quella nuvola che si portava dietro sembrava il fumo d'una ciminiera.

Dove scappa un bambino inseguito? Scappa a casa! Cosí Michelino.

I passanti non avevano il tempo di capire cos'era quell'apparizione tra la nuvola e l'essere umano che saettava per le vie con un boato misto a un ronzio.

Marcovaldo stava dicendo ai suoi pazienti: — Abbiate pazienza, adesso arrivano le vespe, — quando la porta s'aperse e lo sciame invase la stanza. Nemmeno videro Michelino che andava a cacciare il capo in un catino d'acqua: tutta la stanza fu piena di vespe e i pazienti si sbracciavano nell'inutile tentativo di scacciarle, e i reumatizzati facevano prodigi d'agilità e gli arti rattrappiti si scioglievano in movimenti furiosi.

Vennero i pompieri e poi la Croce Rossa. Sdraiato sulla sua branda all'ospedale, gonfio irriconoscibile dalle punture, Marcovaldo non osava reagire alle imprecazioni che dalle altre brande della corsia gli lanciavano i suoi clienti.

– Per i suoi reumi, – aveva detto il dottore della Mutua, – quest'estate ci vogliono delle belle sabbiature –. E Marcovaldo un sabato pomeriggio esplorava le rive del fiume, cercando un posto di rena asciutta e soleggiata. Ma dove c'era rena, il fiume era tutto un gracchiare di catene arrugginite; draghe e gru [1] erano al lavoro: macchine vecchie come dinosauri che scavavano dentro il fiume e rovesciavano enormi cucchiaiate di sabbia negli autocarri delle imprese edilizie fermi lí tra i salici. La fila dei secchi delle draghe salivano diritti e scendevano capovolti, e le gru sollevavano sul lungo collo un gozzo da pellicano stillante gocce della nera mota del fondo. Marcovaldo si chinava a tastare la sabbia, la schiacciava nella mano; era umida, una palta [2], una fanghiglia: anche là dove al sole si formava in superficie una crosta secca e friabile, un centimetro sotto era ancora bagnata.

I bambini di Marcovaldo, che il padre s'era portati dietro sperando di farli lavorare a ricoprirlo di sabbia, non stavano piú nella pelle dalla voglia di fare il bagno. – Papà, papà, ci tuffiamo! Nuotiamo nel fiume!

1. Le « draghe » sono macchine per scavare nel fondo d'un fiume (o d'un porto di mare) e portar su la sabbia. Piú avanti si parla di draghe del tipo « a secchie »; mentre per « gru » è da intendersi un altro tipo di draga detto anche « a tenaglia ».
2. Piemontesismo: fango.

– Siete matti? C'è il cartello «Pericolosissimo bagnarsi»! Si annega, si va a fondo come pietre! – E spiegava che, dove il fondo del fiume è scavato dalle draghe, restano degli imbuti vuoti che risucchiano la corrente in mulinelli o vortici.

– Il mulinello, facci vedere il mulinello! – Per i bambini, la parola suonava allegra.

– Non si vede: ti prende per un piede, mentre nuoti, e ti trascina giú.

– E quello, perché non va giú? Cos'è, un pesce?

– No, è un gatto morto, – spiegava Marcovaldo. – Galleggia perché ha la pancia piena d'acqua.

– Il mulinello al gatto lo prende per la coda? – chiese Michelino.

Il pendio della riva erbosa, a un certo punto, s'allargava in uno spiazzo pianeggiante dov'era alzato un gran setaccio. Due renaioli stavano setacciando un mucchio di sabbia, a colpi di pala, e sempre a colpi di pala la caricavano su di un barcone nero e basso, una specie di chiatta, che galleggiava lí legata a un salice. I due uomini barbuti lavoravano sotto il solleone con indosso cappello e giacca, ma tutta roba stracciata e muffita, e pantaloni che finivano in brandelli, sul ginocchio, lasciando nudi gambe e piedi.

In quella rena rimasta ad asciugare giorni e giorni, fine, separata dalle scorie, chiara come sabbia marina Marcovaldo riconobbe quel che ci voleva per lui. Ma l'aveva scoperta troppo tardi: già la stavano ammucchiando su quel barcone per portarla via...

No, non ancora: i renaioli, sistemato il carico, diedero mano a un fiasco di vino, e dopo esserselo passato un paio di volte e aver bevuto a garganella, si sdraiarono all'ombra dei pioppi per lasciar passare l'ora piú calda.

«Finché loro se ne stanno lí a dormire, io potrò coricarmi nella loro rena e far le sabbiature!» pensò

Marcovaldo, e ai bambini, sottovoce, ordinò: – Presto, aiutatemi!

Saltò sul barcone, si tolse camicia pantaloni e scarpe, e si cacciò sotto la sabbia. – Copritemi! con la pala! – disse ai figli. – No, la testa no; quella mi serve per respirare e deve restar fuori! Tutto il resto!

Per i bambini era come quando si fanno le costruzioni di sabbia. – Ci giochiamo con le formine? No, un castello con i merli! Macché: ci vien bene un circuito per le biglie!

– Adesso andate via! – sbuffò Marcovaldo, da sotto il suo sarcofago d'arena. – Cioè: prima mettetemi un cappello di carta sulla fronte e sugli occhi. E poi saltate a riva e andate a giocare piú lontano, se no i renaioli si svegliano e mi cacciano!

– Possiamo farti navigare per il fiume tirando il barcone da riva con la fune, – propose Filippetto, e già aveva mezzo slegato l'ormeggio.

Marcovaldo, immobilizzato, torceva bocca e occhi per sgridarli. – Se non ve ne andate subito e mi obbligate a uscire di qui sotto, vi basto con la pala! – I ragazzi scapparono.

Il sole dardeggiava, la sabbia bruciava, e Marcovaldo grondando sudore sotto il cappelluccio di carta provava, nella sofferenza di star lí immobile a cuocere, il senso di soddisfazione che dànno le cure faticose o le medicine sgradevoli, quando si pensa: piú è cattiva piú è segno che fa bene.

S'addormentò, cullato dalla corrente leggera che un po' tendeva, un po' rilassava l'ormeggio. Tendi e rilassa, il nodo, che prima Filippetto aveva già mezzo slegato, si sciolse del tutto. E la chiatta carica di sabbia scese libera per il fiume.

Era l'ora piú calda del pomeriggio; tutto dormiva: l'uomo sepolto nella sabbia, le pergole degli imbarcaderi, i ponti deserti, le case che spuntavano a persia-

45

ne chiuse oltre le murate[1]. Il fiume era in magra, ma il barcone, spinto dalla corrente, evitava le secche di fanghiglia che affioravano ogni tanto, o bastava una scossa leggera sul fondo a rimetterlo nel filo dell'acqua piú profonda.

A una di queste scosse, Marcovaldo aperse gli occhi. Vide il cielo carico di sole, dove passavano le nuvole basse dell'estate. «Come corrono, – pensò delle nuvole. – E dire che non c'è un filo di vento! » Poi vide dei fili elettrici: anche quelli correvano come le nuvole. Girò di lato lo sguardo quel tanto che glielo permetteva il quintale di sabbia che aveva addosso. La riva destra era lontana, verde, e correva; la sinistra era grigia, lontana, e in fuga anch'essa. Capí d'essere in mezzo al fiume, in viaggio; nessuno rispondeva: era solo, sepolto in un barcone di sabbia alla deriva senza remi né timone. Sapeva che avrebbe dovuto alzarsi, cercare di approdare, chiamare aiuto; ma nello stesso tempo il pensiero che le sabbiature richiedevano una completa immobilità aveva il sopravvento, lo faceva sentire impegnato a star lí fermo piú che poteva, per non perdere attimi preziosi alla sua cura.

In quel momento vide il ponte; e dalle statue e lampioni che adornavano le balaustre, dall'ampiezza delle arcate che invadevano il cielo, lo riconobbe: non pensava d'esser arrivato tanto avanti. E mentre entrava nell'opaca regione d'ombra che le volte proiettavano sotto di sé, si ricordò della rapida[2]. Un centinaio di metri dopo il ponte, il letto del fiume aveva un salto; il barcone sarebbe precipitato giú per la cascata ribaltandosi, e lui sarebbe stato sommerso dalla sabbia, dall'acqua, dal barcone, senza alcuna speranza

---

1. I muraglioni che fiancheggiano un fiume nella città.
2. Tratto molto inclinato d'un corso d'acqua, dove la corrente acquista velocità.

d'uscir vivo. Ma ancora, in quel momento, il suo cruccio maggiore era ai benefici effetti della sabbiatura che si sarebbero persi all'istante.

Attese il crollo. E avvenne: ma fu un tonfo da sotto in su. Sull'orlo della rapida, in quella stagione di magra[1], s'erano ammucchiati banchi di fanghiglia, qualcuno inverdito da esili cespi di canne e giunchi. Il barcone ci s'incagliò con tutta la sua piatta carena[2], facendo sobbalzare l'intero carico di sabbia e l'uomo sepolto dentro. Marcovaldo si trovò proiettato in aria come da una catapulta, e in quel momento vide il fiume sotto di lui. Ossia: non lo vide affatto, vide solo il brulichio di gente di cui il fiume era pieno.

Di sabato pomeriggio, una gran massa di bagnanti affollava quel tratto di fiume, dove l'acqua bassa arrivava solo fino all'ombelico, e i bambini vi sguazzavano a scolaresche intere, e donne grasse, e signori che facevano il morto, e ragazze in « bikini »[3], e bulli[4] che facevano la lotta, e materassini, palloni, salvagente, pneumatici di auto, barche a remi, barche a pagaia[5], barche a palo[6], canotti di gomma, canotti a motore, canotti del servizio salvataggi, jole[7] delle società di canottieri, pescatori col tremaglio[8], pescatori con la lenza, vecchie con l'ombrello, signorine col cappello di paglia, e cani, cani, cani, dai barboncini ai samber-

1. Un fiume è « in magra » quando le sue acque sono scarse.
2. La parte di un'imbarcazione che sta immersa nell'acqua.
3. Tipo di costume da bagno di moda all'epoca in cui il racconto è stato scritto. L'atollo di Bikini, nel Pacifico, fu nel 1946 il bersaglio di esperimenti atomici americani.
4. Il termine romanesco « bullo » significa gradasso, bravaccio.
5. La « pagaia » è il remo a due pale usato per i sandolini o altri leggeri canotti.
6. Nei fiumi le barche possono essere spinte, anziché con uno o piú remi, con un « palo » o pertica che permette di spingere la barca costeggiando.
7. Imbarcazione sportiva a quattro o sei remi, con o senza timoniere.
8. O « tramaglio », rete da pesca.

nardo, cosí che non si vedeva neanche un centimetro d'acqua in tutto il fiume. E Marcovaldo, volando, era incerto se sarebbe caduto su un materassino di gomma o tra le braccia d'una giunonica matrona, ma d'una cosa era certo: che neppure una goccia d'acqua l'avrebbe sfiorato.

Le gioie di quel recipiente tondo e piatto chiamato
« pietanziera » consistono innanzitutto nell'essere svi-
tabile. Già il movimento di svitare il coperchio richia-
ma l'acquolina in bocca, specie se uno non sa ancora
quello che c'è dentro, perché ad esempio è sua moglie
che gli prepara la pietanziera ogni mattina. Scoper-
chiata la pietanziera, si vede il mangiare lí pigiato:
salamini e lenticchie, o uova sode e barbabietole, oppure polenta e stoccafisso, tutto ben assestato in quel-
l'area di circonferenza come i continenti e i mari nelle
carte del globo, e anche se è poca roba fa l'effetto di
qualcosa di sostanzioso e di compatto. Il coperchio,
una volta svitato, fa da piatto, e cosí si hanno due re-
cipienti e si può cominciare a smistare il contenuto.
Il manovale Marcovaldo, svitata la pietanziera e
aspirato velocemente il profumo, dà mano alle posate
che si porta sempre dietro, in tasca, involte in un fa-
gotto, da quando a mezzogiorno mangia con la pietanziera anziché tornare a casa. I primi colpi di forchetta
servono a svegliare un po' quelle vivande intorpidite,
a dare il rilievo e l'attrattiva d'un piatto appena servito in tavola a quei cibi che se ne sono stati lí ran-
nicchiati già tante ore. Allora si comincia a vedere che
la roba è poca, e si pensa: « Conviene mangiarla lentamente », ma già si sono portate alla bocca, velocis-
sime e fameliche, le prime forchettate.
Per primo gusto si sente la tristezza del mangiare

freddo, ma subito ricominciano le gioie, ritrovando i sapori del desco familiare, trasportati su uno scenario inconsueto. Marcovaldo adesso ha preso a masticare lentamente: è seduto sulla panchina d'un viale, vicino al posto dove lui lavora; siccome casa sua è lontana e ad andarci a mezzogiorno perde tempo e buchi nei biglietti tramviari, lui si porta il desinare nella pietanziera, comperata apposta, e mangia all'aperto, guardando passare la gente, e poi beve a una fontana. Se è d'autunno e c'è sole, sceglie i posti dove arriva qualche raggio; le foglie rosse e lucide che cadono dagli alberi gli fanno da salvietta; le bucce di salame vanno a cani randagi che non tardano a divenirgli amici; e le briciole di pane le raccoglieranno i passeri, un momento che nel viale non passi nessuno.

Mangiando pensa: «Perché il sapore della cucina di mia moglie mi fa piacere ritrovarlo qui, e invece a casa tra le liti, i pianti, i debiti che saltano fuori a ogni discorso, non mi riesce di gustarlo?» E poi pensa: «Ora mi ricordo, questi sono gli avanzi della cena d'ieri». E lo riprende già la scontentezza, forse perché gli tocca di mangiare gli avanzi, freddi e un po' irranciditi, forse perché l'alluminio della pietanziera comunica un sapore metallico ai cibi, ma il pensiero che gli gira in capo è: «Ecco che l'idea di Domitilla riesce a guastarmi anche i desinari lontano da lei».

In quella, s'accorge che è giunto quasi alla fine, e di nuovo gli sembra che quel piatto sia qualcosa di molto ghiotto e raro, e mangia con entusiasmo e devozione gli ultimi resti sul fondo della pietanziera, quelli che piú sanno di metallo. Poi, contemplando il recipiente vuoto e unto, lo riprende di nuovo la tristezza.

Allora involge e intasca tutto, s'alza, è ancora presto per tornare al lavoro, nelle grosse tasche del giaccone le posate suonano il tamburo contro la pietanziera vuota. Marcovaldo va a una bottiglieria e si fa versare un bicchiere raso all'orlo; oppure in un caffè e sorbisce una tazzina; poi guarda le paste nella bacheca di vetro, le scatole di caramelle e di torrone, si persuade che non è vero che ne ha voglia, che proprio non ha voglia di nulla, guarda un momento il calcio-balilla per convincersi che vuole ingannare il tempo, non l'appetito. Ritorna in strada. I tram sono di nuovo affollati, s'avvicina l'ora di tornare al lavoro; e lui s'avvia.

Accadde che la moglie Domitilla, per ragioni sue, comprò una grande quantità di salsiccia. E per tre sere di seguito a cena Marcovaldo trovò salsiccia e rape. Ora, quella salsiccia doveva essere di cane; solo l'odore bastava a fargli scappare l'appetito. Quanto alle rape, quest'ortaggio pallido e sfuggente era il solo vegetale che Marcovaldo non avesse mai potuto soffrire.

A mezzogiorno, di nuovo: la sua salsiccia e rape fredda e grassa lí nella pietanziera. Smemorato com'era, svitava sempre il coperchio con curiosità e ghiottoneria, senza ricordarsi quel che aveva mangiato ieri a cena, e ogni giorno era la stessa delusione. Il quarto giorno, ci ficcò dentro la forchetta, annusò ancora una volta, s'alzò dalla panchina, e reggendo in mano la pietanziera aperta s'avviò distrattamente per il viale. I passanti vedevano quest'uomo che passeggiava con in una mano una forchetta e nell'altra un recipiente di salsiccia, e sembrava non si decidesse a portare alla bocca la prima forchettata.

Da una finestra un bambino disse: – Ehi, tu, uomo!

Marcovaldo alzò gli occhi. Dal piano rialzato di una ricca villa, un bambino stava con i gomiti puntati al davanzale, su cui era posato un piatto.

– Ehi, tu, uomo! Cosa mangi?

– Salsiccia e rape!

– Beato te! – disse il bambino.

– Eh... – fece Marcovaldo, vagamente.

– Pensa che io dovrei mangiare fritto di cervella...

Marcovaldo guardò il piatto sul davanzale. C'era una frittura di cervella morbida e riccioluta come un cumulo di nuvole. Le narici gli vibrarono.

– Perché: a te non piace, il cervello?... – chiese al bambino.

– No, m'hanno chiuso qui in castigo perché non voglio mangiarlo. Ma io lo butto dalla finestra.

– E la salciccia ti piace?...

– Oh, sí, sembra una biscia... A casa nostra non ne mangiamo mai...

– Allora tu dammi il tuo piatto e io ti do il mio.

– Evviva! – Il bambino era tutto contento. Porse all'uomo il suo piatto di maiolica con una forchetta d'argento tutta ornata, e l'uomo gli diede la pietanziera colla forchetta di stagno.

Cosí si misero a mangiare tutti e due: il bambino al davanzale e Marcovaldo seduto su una panchina lí di fronte, tutti e due leccandosi le labbra e dicendosi che non avevano assaggiato mai un cibo cosí buono.

Quand'ecco, alle spalle del bambino compare una governante colle mani sulle anche.

– Signorino! Dio mio! Che cosa mangia?

– Salciccia! – fa il bambino.

– E chi gliel'ha data?

– Quel signore lí, – e indicò Marcovaldo che interruppe il suo lento e diligente mastichio d'un boccone di cervello.

– Butti via! Cosa sento! Butti via!

– Ma è buona...

– E il suo piatto? La forchetta?

– Ce l'ha il signore... – e indicò di nuovo Marcovaldo che teneva la forchetta in aria con infilzato un pezzo di cervello morsicato.

Quella si mise a gridare: – Al ladro! Al ladro! Le posate!

Marcovaldo s'alzò, guardò ancora un momento la frittura lasciata a metà, s'avvicinò alla finestra, posò sul davanzale piatto e forchetta, fissò la governante con disdegno, e si ritrasse. Sentí la pietanziera rotolare sul marciapiede, il pianto del bambino, lo sbattere della finestra che veniva richiusa con mal garbo. Si chinò a raccogliere pietanziera e coperchio. S'erano un po' ammaccati; il coperchio non avvitava piú bene. Cacciò tutto in tasca e andò al lavoro.

Il freddo ha mille forme e mille modi di muoversi nel mondo: sul mare corre come una mandra di cavalli, sulle campagne si getta come uno sciame di locuste, nelle città come lama di coltello taglia le vie e infila le fessure delle case non riscaldate. A casa di Marcovaldo quella sera erano finiti gli ultimi stecchi, e la famiglia, tutta incappottata, guardava nella stufa impallidire le braci, e dalle loro bocche le nuvolette salire a ogni respiro. Non dicevano piú niente; le nuvolette parlavano per loro: la moglie le cacciava lunghe lunghe come sospiri, i figlioli le soffiavano assorti come bolle di sapone, e Marcovaldo le sbuffava verso l'alto a scatti come lampi di genio che subito svaniscono.

Alla fine Marcovaldo si decise: – Vado per legna; chissà che non ne trovi –. Si cacciò quattro o cinque giornali tra la giacca e la camicia a fare da corazza contro i colpi d'aria, si nascose sotto il cappotto una lunga sega dentata, e cosí uscí nella notte, seguito dai lunghi sguardi speranzosi dei familiari, mandando fruscii cartacei ad ogni passo e con la sega che ogni tanto gli spuntava dal bavero.

Andare per legna in città: una parola! Marcovaldo si diresse subito verso un pezzetto di giardino pubblico che c'era tra due vie. Tutto era deserto. Marcovaldo studiava le nude piante a una a una pensando alla famiglia che lo aspettava battendo i denti...

Il piccolo Michelino, battendo i denti, leggeva un libro di fiabe, preso in prestito alla bibliotechina della scuola. Il libro parlava d'un bambino figlio di un taglialegna, che usciva con l'accetta, per far legna nel bosco. – Ecco dove bisogna andare, – disse Michelino, – nel bosco! Lí sí che c'è la legna! – Nato e cresciuto in città, non aveva mai visto un bosco neanche di lontano.

Detto fatto, combinò coi fratelli: uno prese un'accetta, uno un gancio, uno una corda, salutarono la mamma e andarono in cerca di un bosco.

Camminavano per la città illuminata dai lampioni, e non vedevano che case: di boschi, neanche l'ombra. Incontravano qualche raro passante, ma non osavano chiedergli dov'era un bosco. Cosí giunsero dove finivano le case della città e la strada diventava un'autostrada.

Ai lati dell'autostrada, i bambini videro il bosco: una folta vegetazione di strani alberi copriva la vista della pianura. Avevano i tronchi fini fini, diritti o obliqui; e chiome piatte e estese, dalle piú strane forme e dai piú strani colori, quando un'auto passando le illuminava coi fanali. Rami a forma di dentifricio, di faccia, di formaggio, di mano, di rasoio, di bottiglia, di mucca, di pneumatico, costellate da un fogliame di lettere dell'alfabeto.

– Evviva! – disse Michelino, – questo è il bosco!

E i fratelli guardavano incantati la luna spuntare tra quelle strane ombre: – Com'è bello...

Michelino li richiamò subito allo scopo per cui erano venuti lí: la legna. Cosí abbatterono un alberello a forma di fiore di primula gialla, lo fecero in pezzi e lo portarono a casa.

Marcovaldo tornava col suo magro carico di rami umidi, e trovò la stufa accesa.

– Dove l'avete preso? – esclamò indicando i resti

del cartello pubblicitario che, essendo di legno compensato, era bruciato molto in fretta.

– Nel bosco! – fecero i bambini.

– E che bosco?

– Quello dell'autostrada. Ce n'è pieno!

Visto che era cosí semplice, e che c'era di nuovo bisogno di legna, tanto valeva seguire l'esempio dei bambini. Marcovaldo tornò a uscire con la sua sega, e andò sull'autostrada.

L'agente Astolfo della polizia stradale era un po' corto di vista, e la notte, correndo in moto per il suo servizio, avrebbe avuto bisogno degli occhiali; ma non lo diceva, per paura d'averne un danno nella sua carriera.

Quella sera, viene denunciato il fatto che sull'autostrada un branco di monelli stava buttando giú i cartelloni pubblicitari. L'agente Astolfo parte d'ispezione.

Ai lati della strada la selva di strane figure ammonitrici e gesticolanti accompagna Astolfo, che le scruta a una a una, strabuzzando gli occhi miopi. Ecco che, al lume del fanale della moto, sorprende un monellaccio arrampicato su un cartello. Astolfo frena: – Ehi! che fai lí, tu? Salta giú subito! – Quello non si muove e gli fa la lingua. Astolfo si avvicina e vede che è la réclame d'un formaggino, con un bamboccione che si lecca le labbra. – Già, già, – fa Astolfo, e riparte a gran carriera.

Dopo un po', nell'ombra di un gran cartellone, illumina una trista faccia spaventata. – Alto là! Non cercate di scappare! – Ma nessuno scappa: è un viso umano dolorante dipinto in mezzo a un piede tutto calli: la réclame di un callifugo. – Oh, scusi, – dice Astolfo, e corre via.

Il cartellone di una compressa contro l'emicrania era una gigantesca testa d'uomo, con le mani sugli occhi dal dolore. Astolfo passa, e il fanale illumina Marcovaldo arrampicato in cima, che con la sua sega cerca di tagliarsene una fetta. Abbagliato dalla luce, Marcovaldo si fa piccolo piccolo e resta lí immobile, aggrappato a un orecchio del testone, con la sega che è già arrivata a mezza fronte.

Astolfo studia bene, dice: – Ah, sí: compresse Stappa! Un cartellone efficace! Ben trovato! Quell'omino lassú con quella sega significa l'emicrania che taglia in due la testa! L'ho subito capito! – E se ne riparte soddisfatto.

Tutto è silenzio e gelo. Marcovaldo dà un sospiro di sollievo, si riassesta sullo scomodo trespolo e riprende il suo lavoro. Nel cielo illuminato dalla luna si propaga lo smorzato gracchiare della sega contro il legno.

— Questi bambini, — disse il dottore della Mutua, — avrebbero bisogno di respirare un po' d'aria buona, a una certa altezza, di correre sui prati...

Era tra i letti del seminterrato dove abitava la famigliola, e premeva lo stetoscopio sulla schiena della piccola Teresa, tra le scapole fragili come le ali d'un uccelletto implume. I letti erano due e i quattro bambini, tutti ammalati, facevano capolino a testa e a piedi dei letti, con le gote accaldate e gli occhi lucidi.

— Sui prati come l'aiola della piazza? — chiese Michelino.

— Un'altezza come il grattacielo? — chiese Filippetto.

— Aria buona da mangiare? — domandò Pietruccio.

Marcovaldo, lungo e affilato, e sua moglie Domitilla, bassa e tozza, erano appoggiati con un gomito ai due lati di uno sgangherato cassettone. Senza muovere il gomito, alzarono l'altro braccio e lo lasciarono ricadere sopra il fianco brontolando insieme: — E dove vuole che noi, otto bocche, carichi di debiti, come vuole che facciamo?

— Il posto piú bello dove possiamo mandarli, — precisò Marcovaldo, — è per la strada.

— Aria buona la prenderemo, — concluse Domitilla, — quando saremo sfrattati e dovremo dormire allo stellato.

Il pomeriggio d'un sabato, appena furono guariti,

Marcovaldo prese i bambini e li condusse a fare una passeggiata in collina. Abitavano il quartiere della città che dalle colline era il più distante. Per raggiungere le pendici fecero un lungo tragitto su un tram affollato e i bambini vedevano solo gambe di passeggeri attorno a loro. A poco a poco il tram si vuotò; ai finestrini finalmente sgombri apparve un viale che saliva. Così giunsero al capolinea e si misero in marcia.

Era appena primavera; gli alberi fiorivano a un tiepido sole. I bambini si guardavano intorno lievemente spaesati. Marcovaldo li guidò per una stradina a scale, che saliva tra il verde.

– Perché c'è una scala senza casa sopra? – chiese Michelino.

– Non è una scala di casa: è come una via.

– Una via... E le macchine come fanno coi gradini?

Intorno c'erano muri di giardini e dentro gli alberi.

– Muri senza tetto... Ci hanno bombardato?

– Sono giardini... una specie di cortili... – spiegava il padre. – La casa è dentro, lí dietro quegli alberi.

Michelino scosse il capo, poco convinto: – Ma i cortili stanno dentro alle case, mica fuori.

Teresina domandò: – In queste case ci abitano gli alberi?

Man mano che saliva, a Marcovaldo pareva di staccarsi di dosso l'odore di muffa del magazzino in cui spostava pacchi per otto ore al giorno e le macchie d'umido sui muri del suo alloggio, e la polvere che calava, dorata, nel cono di luce della finestrella, e i colpi di tosse nella notte. I figli ora gli parevano meno giallini e gracili, già quasi immedesimati di quella luce e di quel verde.

– Vi piace qui, sí?

– Sí.

– Perché?

– Non ci sono vigili. Si può strappare le piante, tirare pietre.

– E respirare, respirate?

– No.

– Qui l'aria è buona.

Masticarono: – Macché. Non sa di niente.

Salirono fin quasi sulla cresta della collina. A una svolta, la città apparve, laggiú in fondo, distesa senza contorni sulla grigia ragnatela delle vie. I bambini rotolavano su un prato come non avessero fatto altro in vita loro. Venne un filo di vento; era già sera. In città qualche luce s'accendeva in un confuso brillio. Marcovaldo risentí un'ondata del sentimento di quand'era arrivato giovane alla città, e da quelle vie, da quelle luci era attratto come se ne aspettasse chissà cosa. Le rondini si gettavano nell'aria a capofitto sulla città.

Allora lo prese la tristezza di dover tornare laggiú, e decifrò nell'aggrumato paesaggio l'ombra del suo quartiere: e gli parve una landa plumbea, stagnante, ricoperta dalle fitte scaglie dei tetti e dai brandelli di fumo sventolanti sugli stecchi dei fumaioli.

S'era messo fresco: forse bisognava richiamare i bambini. Ma vedendoli dondolarsi tranquilli ai rami piú bassi d'un albero, scacciò quel pensiero. Michelino gli venne d'appresso e chiese: – Papà, perché non veniamo a stare qui?

– Eh, stupido, qui non ci sono case, non ci sta mica nessuno! – fece Marcovaldo con stizza, perché stava proprio fantasticando di poter vivere lassú.

E Michelino: – Nessuno? E quei signori? Guarda!

L'aria diventava grigia e giú dai prati veniva una compagnia d'uomini, di varie età, tutti vestiti d'un pesante abito grigio, chiuso come un pigiama, tutti col berretto e il bastone. Se ne venivano a gruppi, alcuni parlando ad alta voce o ridendo, puntando nell'erba quei bastoni o trascinandoli appesi al braccio per il manico ricurvo.

– Chi sono? Dove vanno? – chiese al padre Michelino, ma Marcovaldo li guardava zitto.

Uno passò vicino; era un grosso uomo sui quarant'anni. – Buona sera! – disse. – Allora, che novità ci portate, d'in città?

– Buona sera, – disse Marcovaldo, – ma di che novità parlate?

– Niente, si dice per dire, – fece l'uomo fermandosi; aveva una larga faccia bianca, con solo uno sprazzo rosa, o rosso, come un'ombra, proprio in cima alle guance. – Dico sempre cosí, a chi viene di città. Sono da tre mesi quassú, capirete.

– E non scendete mai?

– Mah, quando piacerà ai medici! – e fece una breve risata. – E a questi qui! – e si batté con le dita sul petto, e ancora fece quella breve risata, un po' ansante. – Già due volte m'hanno dimesso per guarito, e appena tornato in fabbrica, tàcchete, da capo! E mi rispediscono quassú. Mah, allegria!

– E anche loro?... – fece Marcovaldo accennando agli altri uomini che s'erano sparsi intorno, e nello stesso tempo cercava con lo sguardo Filippetto e Teresa e Pietruccio che aveva perso di vista.

– Tutti compagni di villeggiatura, – fece l'uomo, e strizzò l'occhio, – questa è l'ora della libera uscita, prima della ritirata... Noi si va a letto presto... Si capisce, non possiamo allontanarci dai confini...

– Che confini?

– Qui è ancora terreno del sanatorio, non lo sa?

Marcovaldo prese per mano Michelino che era stato a sentire un po' intimidito. La sera risaliva le ripe; là in basso il quartiere non si distingueva piú e non pareva esser stato inghiottito dall'ombra ma avere dilatato la sua ombra dovunque. Era tempo di tornare.

– Teresa! Filippetto! – chiamò Marcovaldo e si mosse per cercarli. – Scusi, sa, – disse all'uomo, – non vedo piú gli altri bambini.

L'uomo si fece su un ciglio. – Sono là, – disse, – colgono ciliege.

Marcovaldo in una fossa vide un ciliegio e intorno stavano gli uomini vestiti di grigio che coi loro bastoni ricurvi avvicinavano i rami e coglievano i frutti. E Teresa e i due bambini insieme a loro, tutti contenti, coglievano ciliege e ne prendevano dalle mani degli uomini, e ridevano con loro.

– È tardi, – disse Marcovaldo. – Fa freddo. Andiamo a casa...

L'uomo grosso muoveva la punta del bastone verso le file di luci che s'accendevano là in fondo.

– La sera, – disse, – con questo bastone, mi faccio la mia passeggiata in città. Scelgo una via, una fila di lampioni, e la seguo, cosí... Mi fermo alle vetrine, incontro la gente, la saluto... Quando camminerete in città, pensateci qualche volta: il mio bastone vi segue...

I bambini ritornavano incoronati di foglie, per mano ai ricoverati.

– Come si sta bene qui, papà! – disse Teresa. – Torneremo a giocarci, vero?

– Papà, – sbottò Michelino, – perché non veniamo a stare anche noi insieme con questi signori?

– È tardi! Salutate i signori! Dite: grazie delle ciliege. Avanti! Andiamo!

Presero la via del ritorno. Erano stanchi. Marcovaldo non rispondeva alle domande. Filippetto volle essere preso in braccio, Pietruccio sulle spalle, Teresa si faceva trascinare per mano, e Michelino, il piú grande, andava avanti da solo, prendendo a calci i sassi.

I rumori della città che le notti d'estate entrano dalle finestre aperte nelle stanze di chi non può dormire per il caldo, i rumori veri della città notturna, si fanno udire quando a una cert'ora l'anonimo frastuono dei motori dirada e tace, e dal silenzio vengon fuori discreti, nitidi, graduati secondo la distanza, un passo di nottambulo, il fruscío della bici d'una guardia notturna, uno smorzato lontano schiamazzo, ed un russare dai piani di sopra, il gemito d'un malato, un vecchio pendolo che continua ogni ora a battere le ore. Finché comincia all'alba l'orchestra delle sveglie nelle case operaie, e sulle rotaie passa un tram.

Cosí una notte Marcovaldo, tra la moglie e i bambini che sudavano nel sonno, stava a occhi chiusi ad ascoltare quanto di questo pulviscolo di esili suoni filtrava giú dal selciato del marciapiede per le basse finestrelle, fin in fondo al suo seminterrato. Sentiva il tacco ilare e veloce d'una donna in ritardo, la suola sfasciata del raccoglitore di mozziconi dalle irregolari soste, il fischiettio di chi si sente solo, e ogni tanto un rotto accozzo [1] di parole d'un dialogo tra amici, tanto da indovinare se parlavano di sport o di quattrini. Ma nella notte calda quei rumori perdevano ogni spicco, si sfacevano come attutiti dall'afa che ingombrava il

---

1. « Accozzare » vuol dire mettere insieme a caso, come vien viene.

vuoto delle vie, e pure sembravano volersi imporre, sancire[1] il proprio dominio su quel regno disabitato. In ogni presenza umana Marcovaldo riconosceva tristemente un fratello, come lui inchiodato anche in tempo di ferie a quel forno di cemento cotto e polveroso, dai debiti, dal peso della famiglia, dal salario scarso.

E come se l'idea d'un'impossibile vacanza gli avesse subito schiuse le porte d'un sogno, gli sembrò d'intendere lontano un suono di campani, e il latrato d'un cane, e pure un corto muggito. Ma aveva gli occhi aperti, non sognava: e cercava, tendendo l'orecchio, di trovare ancora un appiglio a quelle vaghe impressioni, o una smentita; e davvero gli arrivava un rumore come di centinaia e centinaia di passi, lenti, sparpagliati, sordi, che s'avvicinava e sovrastava ogni altro suono, tranne appunto quel rintocco rugginoso.

Marcovaldo s'alzò, s'infilò la camicia, i pantaloni.
– Dove vai? – disse la moglie che dormiva con un occhio solo.

– C'è una mandria che passa per la via. Vado a vedere.

– Anch'io! Anch'io! – fecero i bambini che sapevano svegliarsi al punto giusto.

Era una mandria[2] come ne attraversano nottetempo la città, al principio dell'estate, andando verso le montagne per l'alpeggio[3]. Saliti in strada con gli occhi ancora mezz'appiccicati dal sonno, i bambini videro il fiume delle groppe bige e pezzate che invadeva il marciapiede, e strisciava contro i muri ricoperti di manifesti, le saracinesche abbassate, i pali dei cartelli di sosta vietata, le pompe di benzina. Avanzando i prudenti zoccoli giú dal gradino ai crocicchi, i musi senza mai

1. Qui sta per « stabilire ».
2. Branco di mucche o di buoi.
3. Pascolo estivo in montagna.

un soprassalto di curiosità accostati ai lombi di quelle che le precedevano, le mucche si portavano dietro il loro odore di strame e di fiori di campo e latte ed il languido suono dei campani, e la città pareva non toccarle, già assorte com'erano dentro il loro mondo di prati umidi, nebbie montane e guadi di torrenti.

Impazienti invece, come innervositi dal sovrastare della città, apparivano i vaccari, che s'affannavano in brevi, inutili corse a fianco della fila, alzando i bastoni ed esplodendo in voci aspirate e rotte. I cani, cui nulla di quel che è umano è alieno, ostentavano disinvoltura procedendo a muso ritto, scampanellando, attenti al loro lavoro, ma si capiva che anch'essi erano inquieti e impacciati, altrimenti si sarebbero lasciati distrarre e avrebbero cominciato a annusare cantoni, fanali, macchie sul selciato, com'è primo pensiero d'ogni cane di città.

– Papà, – dissero i bambini, – le mucche sono come i tram? Fanno le fermate? Dov'è il capolinea delle mucche?

– Niente a che fare coi tram, – spiegò Marcovaldo. – Vanno in montagna.

– Si mettono gli sci? – chiese Pietruccio.

– Vanno al pascolo, a mangiare dell'erba.

– E non gli fanno la multa se sciupano i prati?

Chi non faceva domande era Michelino, che, piú grande degli altri, le sue idee sulle mucche già le aveva, e badava solo ormai a verificarle, a osservare le miti corna, le groppe e le giogaie variegate. Cosí seguiva la mandria, trotterellando a fianco come i cani pastori.

Quando l'ultimo branco fu passato, Marcovaldo prese per mano i bambini per tornare a dormire, ma non vedeva Michelino. Scese nella stanza, chiese alla moglie: – Michelino è già tornato?

– Michelino? Non era con te?

« S'è messo a seguire la mandria e chissà dov'è andato », pensò, e ritornò di corsa in strada. Già la mandria aveva traversato la piazza e Marcovaldo dovette
cercare la via in cui aveva svoltato. Ma pareva che
quella notte diverse mandrie stessero traversando la
città, ognuna per vie diverse, diretta ognuna alla sua
valle. Marcovaldo rintracciò e raggiunse una mandria,
poi s'accorse che non era la sua; a una traversa vide
che quattro vie piú in là un'altra mandria procedeva
parallela e corse da quella parte; là i vaccari l'avver-
tirono che ne avevano incontrata un'altra diretta in
senso inverso. Cosí, fino a che l'ultimo suono di cam-
panaccio fu dileguato alla luce dell'alba, Marcovaldo
continuò a girare inutilmente.

Il commissario cui si rivolse per denunciare la scomparsa del figlio, disse: – Dietro una mandria? Sarà
andato in montagna, a farsi la villeggiatura, beato lui.
Vedrai, tornerà grasso e abbronzato.

L'opinione del commissario ebbe conferma qualche
giorno dopo da un impiegato della ditta dove lavorava Marcovaldo, tornato dal primo turno di ferie. A un
passo di montagna aveva incontrato il ragazzo: era
con la mandria, mandava a salutare il padre, e stava
bene.

Marcovaldo nella polverosa calura cittadina andava
col pensiero al suo figlio fortunato, che adesso certo
passava le ore all'ombra d'un abete, zufolando con
una foglia d'erba in bocca, guardando giú le mucche
muoversi lente per il prato, e ascoltando nell'ombra
della valle un fruscio d'acque.

La mamma invece non vedeva l'ora che tornasse:
– Verrà in treno? Verrà in corriera? È già una settimana... È già un mese... Farà cattivo tempo... – e non
si dava pace, con tutto che averne uno di meno a tavola ogni giorno fosse già un sollievo.

– Beato lui, sta al fresco, e si riempie di burro e formaggio, – diceva Marcovaldo, e ogni volta che dal fondo d'una via gli appariva, velato appena dalla calura, il frastaglio bianco e grigio delle montagne, si sentiva come sprofondato in un pozzo, alla cui luce, lassú in alto, gli pareva di veder scintillare fronde d'aceri e castagni, e ronzare api selvatiche, e Michelino lassú, pigro e felice, tra il latte e il miele e le more di siepe[1].

Anche lui però aspettava il ritorno del figlio di sera in sera, pur non pensando, come la madre, agli orari del treno e delle corriere: stava in ascolto la notte ai passi sulla via come se la finestrella della stanza fosse la bocca d'una conchiglia, riecheggiante, ad appoggiarvi l'orecchio, i rumori montani.

Ecco, una notte, alzatosi di scatto a sedere sul letto, non era un'illusione, sentiva sul selciato avvicinarsi quell'inconfondibile scalpiccio d'unghie fesse, misto al rintocco dei campani.

Corsero in strada, lui e tutta la famiglia. Ritornava la mandria, lenta e grave. E nel mezzo della mandria, a cavalcioni sulla groppa d'una mucca, con le mani strette al collare, col capo che ballonzolava a ogni passo, c'era, mezzo addormentato, Michelino.

Lo presero su di peso, l'abbracciarono e baciarono. Lui era mezzo stordito.

– Come stai? Era bello?
– Oh... sí...
– E a casa avevi voglia di tornare?
– Sí...
– È bella la montagna?

Era in piedi, di fronte a loro, con le ciglia aggrottate, lo sguardo duro.

– Lavoravo come un mulo, – disse, e sputò davanti a sé. S'era fatta una faccia da uomo. – Ogni sera spo-

1. Il frutto del rovo (o meglio: l'insieme di frutti, ogni mora essendo composta di molte piccole *drupe*); da non confondersi con la « mora di gelso » (che è un insieme di *acheni*).

stare i secchi ai mungitori da una bestia all'altra, da una bestia all'altra, e poi vuotarli nei bidoni, in fretta, sempre piú in fretta, fino a tardi. E al mattino presto, rotolare i bidoni fino ai camion che li portano in città... E contare, contare sempre: le bestie, i bidoni, guai se si sbagliava...

– Ma sui prati ci stavi? Quando le bestie pascolavano?...

– Non s'aveva mai tempo. Sempre qualcosa da fare. Per il latte, le lettiere[1], il letame. E tutto per che cosa? Con la scusa che non avevo il contratto di lavoro, quanto m'hanno pagato? Una miseria. Ma se ora vi credete che ve ne dia a voi, vi sbagliate. Su, andiamo a dormire che sono stanco morto.

Scrollò le spalle, tirò su dal naso ed entrò in casa.

La mandria continuava a allontanarsi nella via, portandosi dietro i menzogneri e languidi odori di fieno e suoni di campani.

---

1. La paglia o strame su cui giacciono le bestie si dice «lettiera».

Quando viene il giorno d'uscire d'ospedale, fin dal
mattino uno lo sa e se è già in gamba gira per le corsie, ritrova il passo per quando sarà fuori, fischietta,
fa il guarito coi malati [1], non per farsi invidiare ma per
il piacere d'usare un tono incoraggiante. Vede fuori
delle vetrate il sole, o la nebbia se c'è nebbia, ode i rumori della città: e tutto è diverso da prima, quando
ogni mattino li sentiva entrare – luce e suono d'un
mondo irraggiungibile – svegliandosi tra le sbarre di
quel letto. Adesso là fuori c'è di nuovo il suo mondo:
il guarito lo riconosce come naturale e consueto; e
d'improvviso, riavverte l'odore d'ospedale.

Marcovaldo un mattino cosí fiutava intorno, guarito, aspettando che gli scrivessero certe cose sul li-
bretto della mutua [2] per andarsene. Il dottore prese le
carte, gli disse: – Aspetta qui, – e lo lasciò solo nel suo
laboratorio. Marcovaldo guardava i bianchi mobili
smaltati che aveva tanto odiato, le provette [3] piene di
sostanze torve [4], e cercava d'esaltarsi all'idea che stava

1. Con i compagni di degenza che sta per abbandonare si compia-
ce di farsi vedere guarito.
2. Documento che comprova il diritto di essere assistiti da una
« cassa mutua » cioè da un ente di previdenza dei lavoratori, che rim-
borsa le indennità di malattia e le spese mediche.
3. Tubetto di vetro usato in chimica per contenere piccole quantità d'una sostanza per analisi o esperimenti.
4. A Marcovaldo le sostanze d'un laboratorio d'analisi sembrano
non solo torbide, ma ostili, sinistre, « torve ».

per lasciare tutto quanto: ma non riusciva a provarne quella gioia che si sarebbe atteso. Forse era il pensiero di tornare alla ditta a scaricare casse, o quello dei guai che i suoi figlioli avevano certo combinato nel frattempo, e piú di tutto la nebbia che c'era fuori e che dava l'idea di doversene uscire nel vuoto, di sfarsi in un umido niente. Cosí girava gli occhi intorno, con un indistinto bisogno d'affezionarsi a qualcosa di là dentro, ma ogni cosa che vedeva gli sapeva di strazio o di disagio.

Fu allora che vide un coniglio in una gabbia. Era un coniglio bianco, di pelo lungo e piumoso, con un triangolino rosa di naso, gli occhi rossi sbigottiti, le orecchie quasi implumi appiattite sulla schiena. Non che fosse grosso, ma in quella gabbia stretta il suo corpo ovale rannicchiato gonfiava la rete metallica e ne faceva spuntar fuori ciuffi di pelo mossi da un leggero tremito. Fuori della gabbia, sul tavolo, c'erano dei resti d'erba, e una carota. Marcovaldo pensò a come doveva essere infelice, chiuso là allo stretto, vedendo quella carota e non potendola mangiare. E gli aprí lo sportello della gabbia. Il coniglio non uscí: stava lí fermo, con solamente un lieve moto del muso come fingesse di masticare per darsi un contegno. Marcovaldo prese la carota, gliel'avvicinò, poi lentamente la ritrasse, per invitarlo a uscire. Il coniglio lo seguí, addentò circospetto la carota e con diligenza prese a rosicchiarla d'in mano a Marcovaldo. L'uomo lo carezzò sulla schiena e intanto lo palpò per vedere se era grasso. Lo sentí un po' ossuto, sotto il pelo. Da questo, e dal modo come tirava la carota, si capiva che dovevano tenerlo un po' a stecchetto. «L'avessi io, – pensò Marcovaldo, – lo rimpinzerei finché non diventa una palla». E lo guardava con l'occhio amoroso dell'allevatore che riesce a far coesistere la bontà verso l'animale e la previsione dell'arrosto nello stesso moto dell'animo. Ecco che dopo giorni e giorni di squallida degenza in ospedale, al momento d'andarsene, scopriva una presenza amica, che sarebbe bastata a riempire le sue ore e i suoi pensieri. E doveva lasciarla, per tornare nella città nebbiosa, dove non s'incontrano conigli.

La carota era quasi finita, Marcovaldo prese la bestia in braccio e andava cercando intorno qualcos'altro da dargli. Gli avvicinò il muso a una piantina di geranio in vaso che era sulla scrivania del dottore, ma la bestia mostrò di non gradirla. Proprio in quel momento Marcovaldo sentí il passo del dottore che stava entrando: come spiegargli perché teneva il coniglio tra le braccia? Aveva indosso il suo giubbotto da lavoro, chiuso alla vita. In fretta ci ficcò dentro il coniglio, s'abbottonò, e perché il dottore non gli vedesse quel rigonfio sussultante sullo stomaco, lo fece passare dietro, sulla schiena. Il coniglio, spaventato, stette buono. Marcovaldo prese le sue carte, e riportò il coniglio sul petto perché doveva voltarsi e uscire. Cosí, col coniglio nascosto nel giubbotto, lasciò l'ospedale e andò al lavoro.

– Ah, sei guarito finalmente? – disse il caporeparto signor Viligelmo vedendolo arrivare. – E cosa ti è cresciuto, lí? – e gli indicò il petto sporgente.

– Ci ho un impiastro caldo contro i crampi, – disse Marcovaldo.

In quella il coniglio dette un guizzo, e Marcovaldo saltò su come un epilettico.

– Cosa ti piglia? – fece Viligelmo.

– Niente: singhiozzo, – rispose lui, e con la mano spinse il coniglio dietro la schiena.

– Sei ancora un po' malandato, vedo, – disse il capo.

Il coniglio cercava di arrampicarglisi sulla schiena e Marcovaldo scrollava le spalle per farlo scendere.

– Hai i brividi. Va' a casa ancora per un giorno. Domani vedi d'essere guarito[1].

A casa, Marcovaldo arrivò reggendo il coniglio per le orecchie come un cacciatore fortunato.

– Papà! Papà! – l'acclamarono i bambini correndogli incontro. – Dove l'hai preso? Ce lo regali? È un regalo per noi? – e volevano subito afferrarlo.

– Sei tornato? – disse la moglie e dall'occhiata che gli rivolse, Marcovaldo capí che il tempo della sua degenza non era servito ad altro che a farle accumulare nuovi motivi di risentimento contro di lui. – Un animale vivo? E cosa vuoi farne? Sporca dappertutto.

Marcovaldo sgombrò il tavolo e vi piazzò il coniglio in mezzo, che s'appiattí come cercando di sparire. – Guai a chi lo tocca! – disse. – È il nostro coniglio, e ingrasserà tranquillo fino a Natale.

– Ma è un coniglio o una coniglia? – chiese Michelino.

Alla possibilità che fosse una coniglia, Marcovaldo non ci aveva pensato. Subito gli venne in mente un nuovo piano: se era una femmina si poteva farle fare i coniglietti e mettere su un allevamento. E già nella sua fantasia gli umidi muri di casa sparivano e c'era una fattoria verde tra i campi.

Era proprio un maschio, invece. Ma a Marcovaldo quest'idea dell'allevamento ormai gli era entrata in testa. Era un maschio, ma un maschio bellissimo, a cui si poteva cercare una sposa e i mezzi per crearsi una famiglia.

– E cosa gli diamo da mangiare, se non ce n'è per noi? – disse la moglie, tagliente.

– Lascia pensare a me, – disse Marcovaldo.

L'indomani, in ditta, a certe piante verdi in vaso degli uffici della Direzione, che lui doveva ogni mattino

1. Fa' il possibile per essere guarito.

portar fuori, innaffiare e riportare a posto, tolse una foglia a ciascuna: larghe foglie lucide da una parte e dall'altra opache; e se le ficcò nella giubba. Poi, a una impiegata che veniva con un mazzetto di fiori chiese: – Glieli ha dati il moroso[1]? E non me ne regala uno? – ed intascò anche quello. A un ragazzo che sbucciava una pera, disse: – Lasciami le bucce –. E cosí, qua una foglia, là una scorza, laggiú un petalo, sperava di sfamare la bestiola.

A un certo punto, il signor Viligelmo lo mandò a chiamare. « Si saranno accorti delle piante spelacchiate? » si domandò Marcovaldo, abituato a sentirsi sempre in colpa.

Dal caporeparto c'era il medico dell'ospedale, due militi della Croce Rossa ed una guardia civica. – Senti, – disse il medico, – è sparito un coniglio dal mio laboratorio. Se ne sai qualcosa ti conviene di non fare il furbo. Perché gli abbiamo iniettato i germi di una malattia terribile e può spargerla per tutta la città. Non ti chiedo se l'hai mangiato perché a quest'ora non saresti piú tra i vivi.

Fuori aspettava un'autoambulanza; ci salirono di corsa, e con un continuo urlo di sirena, percorsero vie e viali verso la casa di Marcovaldo: e per la via restò una scia di foglie e bucce e fiori che Marcovaldo gettava via dal finestrino tristemente.

La moglie di Marcovaldo quel mattino non sapeva proprio cosa mettere in pentola. Guardò il coniglio che il marito aveva portato a casa il giorno prima, e che ora stava in una gabbia improvvisata, piena di trucioli di carta. « È venuto proprio a proposito, – si disse. – Soldi non ce n'è; il mensile se n'è già andato

1. Termine d'uso popolare per « amoroso », « innamorato ».

in medicine extra che la Mutua non paga; le botteghe non ci fanno piú credito. Altro che far l'allevamento, o aspettare a Natale per metterlo arrosto! Noi saltiamo i pasti e ancora dobbiamo ingrassare un coniglio! »

– Isolina, – disse alla figlia, – tu sei già grande, devi imparare come si cucinano i conigli. Comincia ad ammazzarlo e a spellarlo e poi ti spiego come devi fare.

Isolina stava leggendo un giornale di novelle sentimentali. – No, – mugolò, – comincia tu ad ammazzarlo e a pelarlo, e poi starò a vedere come lo cucini.

– Brava! – disse la madre. – Io d'ammazzarlo non ho cuore. Ma so che è una cosa facilissima, basta prenderlo per le orecchie e dargli una forte botta sulla collottola. Per spellarlo, poi vedremo.

– Non vedremo niente, – disse la figlia senza alzare il naso dal giornale, – io colpi sulla collottola a un coniglio vivo non ne do. E a spellarlo non ci penso neanche.

I tre bambini erano stati a sentire questo dialogo a occhi spalancati.

La madre restò un po' soprappensiero, li guardò, poi disse: – Bambini...

I bambini, come d'intesa, voltarono le spalle alla madre e uscirono dalla stanza.

– Aspettate, bambini! – disse la madre. – Vi volevo dire se vi piacerebbe uscire col coniglio. Gli metteremo un bel nastro al collo e andate un po' a passeggio.

I bambini si fermarono e si guardarono negli occhi.
– A passeggio dove? – chiese Michelino.

– Be', potete fare quattro passi. Poi andate a trovare la signora Diomira, le portate il coniglio e le dite se per favore ce lo ammazza e ce lo spella, lei che è cosí brava.

La madre aveva toccato il tasto giusto: i bambini, si sa, restano impressionati dalla cosa che a loro piace di piú, e al resto preferiscono non pensarci. Cosí trovarono un lungo nastro color lilla, lo legarono attorno al collo della bestiola, e l'usarono come guinzaglio, strappandoselo di mano e tirandosi dietro il coniglio riluttante e mezzo strangolato.

– Dite alla signora Diomira, – raccomandò la madre, – che poi può tenersi un cosciotto! No, meglio dirle: la testa. Insomma: veda lei.

I bambini erano appena usciti quando l'alloggio di Marcovaldo fu circondato e invaso da infermieri, medici, guardie e poliziotti. Marcovaldo era in mezzo a loro piú morto che vivo. – È qui il coniglio che è stato portato via dall'ospedale? Presto, indicateci dov'è senza toccarlo: ha addosso i germi d'una tremenda malattia! – Marcovaldo li condusse alla gabbia, ma era vuota. – Già mangiato? – No, no! – E dov'è? – Dalla signora Diomira! – e gli inseguitori ripresero la caccia.

Bussarono dalla signora Diomira. – Il coniglio? Che coniglio? Siete pazzi? – A vedersi la casa invasa da sconosciuti, in camice bianco e in divisa, che cercavano un coniglio, alla vecchietta venne quasi un colpo. Del coniglio di Marcovaldo non sapeva niente.

Infatti, i tre bambini, volendo salvare il coniglio dalla morte, pensarono di portarlo in un posto sicuro, giocarci un poco e poi lasciarlo andare; e invece di fermarsi al pianerottolo della signora Diomira, decisero di salire fino a un terrazzo che c'era sui tetti. Alla madre avrebbero detto che aveva strappato il guinzaglio e era scappato. Ma nessun animale pareva cosí poco adatto a una fuga quanto quel coniglio. Fargli salire tutte quelle scale era un problema: si rannicchiava spaventato a ogni gradino. Finirono per prenderlo in braccio e portarlo su di peso.

Sul terrazzo volevano farlo correre: non correva. Provarono a metterlo su un cornicione per vedere se camminava come i gatti: ma pareva che soffrisse le vertigini. Provarono a issarlo su un'antenna della televisione per vedere se sapeva stare in equilibrio: no, cascava. Annoiati, i ragazzi strapparono il guinzaglio, lasciarono libera la bestia in un punto dove le si aprivano davanti le vie dei tetti, mare obliquo e angoloso, e se ne andarono.

Quando fu solo, il coniglio prese a muoversi. Tentò alcuni passi, si guardò intorno, cambiò direzione, si girò, poi a piccoli balzi, a saltelli, prese a andare per i tetti. Era una bestia nata prigioniera: il suo desiderio di libertà non aveva larghi orizzonti. Non conosceva altro bene della vita se non il poter stare un po' senza paura. Ecco ora poteva muoversi, senza nulla intorno che gli facesse paura, forse come mai prima in vita sua. Il luogo era insolito, ma una chiara idea di cosa fosse e cosa non fosse solito non aveva potuto mai crearsela. E da quando dentro di sé sentiva rodere un male indistinto e misterioso, il mondo intero lo interessava sempre meno. Cosí andava sui tetti; e i gatti che lo vedevano saltare non capivano chi era e arretravano timorosi.

Intanto, dagli abbaini, dai lucernari, dalle altane [1], l'itinerario del coniglio non era passato inosservato. E chi cominciò a esporre catini d'insalata sul davanzale spiando da dietro alle tendine, chi buttava un torsolo di pera sulle tegole e ci tendeva intorno un laccio di spago, chi disponeva una fila di pezzettini di carota sul cornicione, che seguitavano fino al proprio abbaino. E una parola d'ordine correva in tutte le famiglie che abitavano sui tetti: – Oggi coniglio in umido – o – Coniglio in fricassea [2] – o – Coniglio arrosto.

1. *Abbaino* è una finestra verticale su un tetto spiovente ricoperta da un tettuccio, che di solito dà in una « mansarda »; *lucernario* è una finestra direttamente aperta sul tetto, per dar luce a una scala o a una soffitta; *altana* è una terrazza su un tetto.
2. Piatto di carne tagliata a pezzettini e condita con salsa d'uova.

La bestia s'era accorta di questi armeggii, di queste silenziose offerte di cibo. E sebbene avesse fame, diffidava. Sapeva che ogni volta che gli uomini cercavano d'attirarlo offrendogli cibo, capitava qualcosa d'oscuro e doloroso: o gli conficcavano una siringa nelle carni, o un bisturi, o lo cacciavano di forza in un giubbotto abbottonato, o lo trascinavano con un nastro al collo... E la memoria di queste disgrazie faceva una cosa sola col male che sentiva dentro di sé, col lento alterarsi d'organi che avvertiva, col presentimento della morte. E con la fame. Ma come se di tutti questi disagi sapesse che solo la fame poteva essere alleviata, e riconoscesse che questi infidi esseri umani gli potevan dare – oltre a sofferenze crudeli – un senso – di cui pur aveva bisogno – di protezione, di calore domestico, decise d'arrendersi, di prestarsi al gioco degli uomini: andasse poi come voleva. Cosí, cominciò a mangiare i pezzettini di carota, seguendo la scia che, lo sapeva bene, l'avrebbe fatto ancora prigioniero e martire, ma tornando a gustare forse per l'ultima volta il buon sapore terrestre degli ortaggi. Ecco si avvicinava alla finestra dell'abbaino, ecco che una mano si sarebbe protesa a ghermirlo: invece, tutt'a un tratto, la finestra si chiuse e lo lasciò fuori. Questo era un fatto estraneo alla sua esperienza: una trappola che si rifiutava di scattare. Il coniglio si volse, cercò gli altri segni d'insidia intorno, per scegliere a quale d'essi gli conveniva arrendersi. Ma intorno le foglie d'insalata venivano ritirate, i lacci gettati via, la gente affacciata spariva, sbarrava finestre e lucernari, i terrazzi si spopolavano.

Era successo che una camionetta della polizia aveva attraversato la città, gridando da un altoparlante: – Attenzione attenzione! È stato smarrito un coniglio bianco dal pelo lungo, affetto da una grave malattia contagiosa! Chiunque lo rintracci sappia che la sua

77

carne è velenosa, e anche il contatto può trasmettere germi nocivi! Chiunque lo veda lo segnali al piú vicino posto di polizia, ospedale o caserma dei pompieri!

Il terrore si sparse sui tetti. Ognuno stava in guardia e appena avvistava il coniglio che con un floscio balzo passava da un tetto a quello vicino, dava l'allarme e tutti sparivano come all'avvicinarsi d'uno sciame di locuste. Il coniglio procedeva in bilico sulle cimase[1]; questo senso di solitudine, proprio nel momento in cui aveva scoperto la necessità della vicinanza dell'uomo, gli pareva ancora piú minaccioso, intollerabile.

Intanto il cavalier Ulrico, vecchio cacciatore, aveva caricato il suo fucile con cartucce da lepre, ed era andato ad appostarsi su un terrazzo, dietro un fumaiolo. Quando vide nella nebbia affiorare l'ombra bianca del coniglio, sparò; ma tant'era la sua emozione al pensiero dei malefici della bestia, che la rosa dei pallini grandinò un po' discosto, sulle tegole. Il coniglio sentí la fucilata rimbalzare intorno, e un pallino trapassargli un orecchio. Comprese: era una dichiarazione di guerra; ormai ogni rapporto con gli uomini era rotto. E in dispregio a loro, a questa che in qualche modo sentiva come una sorda ingratitudine, decise di farla finita con la vita.

Un tetto coperto di lamiera scendeva obliquo, e terminava nel vuoto, nel nulla opaco della nebbia. Il coniglio ci si posò con tutte e quattro le zampe, cautamente dapprima, poi abbandonandosi. E cosí scivolando, divorato e circondato dal male, andava verso la morte. Sul ciglio, la grondaia lo trattenne un secondo, poi sbilanciò giú...

E finí tra le mani guantate d'un pompiere, issato in

1. L'Autore usa questo termine (che indica qualsiasi cornice che corona un edificio) nel senso di « colmo » o « displuvio » di un tetto.

cima a una scala portatile. Impedito fin in quell'estremo gesto di dignità animale, il coniglio venne caricato sull'ambulanza che partí a gran carriera verso l'ospedale. A bordo c'erano anche Marcovaldo, sua moglie e i suoi figlioli, ricoverati in osservazione e per una serie di prove di vaccini.

Per chi ha in uggia la casa inospitale, il rifugio preferito nelle serate fredde è sempre il cinema. La passione di Marcovaldo erano i film a colori, sullo schermo grande che permette d'abbracciare i piú vasti orizzonti: praterie, montagne rocciose, foreste equatoriali, isole dove si vive coronati di fiori. Vedeva il film due volte, usciva solo quando il cinema chiudeva; e col pensiero continuava ad abitare quei paesaggi e a respirare quei colori. Ma il rincasare nella sera piovigginosa, l'aspettare alla fermata il tram numero 30, il constatare che la sua vita non avrebbe conosciuto altro scenario che tram, semafori, locali al seminterrato, fornelli a gas, roba stesa, magazzini e reparti d'imballaggio, gli facevano svanire lo splendore del film in una tristezza sbiadita e grigia.

Quella sera, il film che aveva visto si svolgeva nelle foreste dell'India: dal sottobosco paludoso s'alzavano nuvole di vapori, e i serpenti salivano per le liane e s'arrampicavano alle statue d'antichi templi inghiottiti dalla giungla.

All'uscita del cinema, aperse gli occhi sulla via, tornò a chiuderli, a riaprirli: non vedeva niente. Assolutamente niente. Neanche a un palmo dal naso. Nelle ore in cui era restato là dentro, la nebbia aveva invaso la città, una nebbia spessa, opaca, che involgeva le cose e i rumori, spiaccicava le distanze in uno spazio senza dimensioni, mescolava le luci dentro il buio trasformandole in bagliori senza forma né luogo.

Marcovaldo si diresse macchinalmente alla fermata del 30 e sbatté il naso contro il palo del cartello. In quel momento, s'accorse d'essere felice: la nebbia, cancellando il mondo intorno, gli permetteva di conservare nei suoi occhi le visioni dello schermo panoramico. Anche il freddo era attutito, quasi che la città si fosse rincalzata addosso una nuvola come una coperta. Marcovaldo, imbacuccato nel suo pastrano, si sentiva protetto da ogni sensazione esterna, librato nel vuoto, e poteva colorare questo vuoto con le immagini dell'India, del Gange, della giungla, di Calcutta.

Venne il tram, evanescente come un fantasma, scampanellando lentamente; le cose esistevano appena quel tanto che basta; per Marcovaldo quella sera lo stare in fondo al tram, voltando la schiena agli altri passeggeri, fissando fuori dai vetri la notte vuota, attraversata solo da indistinte presenze luminose e da qualche ombra piú nera del buio, era la situazione perfetta per sognare a occhi aperti, per proiettare davanti a sé dovunque andasse un film ininterrotto su uno schermo sconfinato.

Cosí fantasticando aveva perso il conto delle fermate; a un tratto si domandò dov'era; vide il tram ormai quasi vuoto; scrutò fuori dai vetri, interpretò i chiarori che affioravano, stabilí che la sua fermata era la prossima, corse all'uscita appena in tempo, scese. Si guardò intorno cercando qualche punto di riferimento. Ma quel poco d'ombre e luci che i suoi occhi riuscivano a raccogliere, non si componevano in nessuna immagine conosciuta. S'era sbagliato di fermata e non sapeva dove si trovava.

A incontrare un passante, era niente farsi indicare la via; ma, fosse il luogo solitario, l'ora, il tempo impervio, non si vedeva ombra di persona umana. Finalmente la vide, un'ombra, e attese che s'avvicinasse.

No: s'allontanava, forse stava attraversando, o camminava in mezzo alla via, poteva essere non un pedone ma un ciclista, su una bicicletta senza luci.

Marcovaldo gridò: – Per piacere! Per piacere, monsú! Sa dov'è via Pancrazio Pancrazietti?

La figura s'allontanava ancora, quasi non si vedeva piú. Disse: – Di làaà... – ma non si sapeva da quale parte indicasse.

– Destra o sinistra? – gridò Marcovaldo ma non sapeva se si rivolgeva al vuoto.

Una risposta arrivò, o uno strascico di risposta: un «...istra!» che poteva anche essere «...estra!» Comunque, poiché l'uno non vedeva com'era voltato l'altro, destra o sinistra non volevano dir niente.

Marcovaldo ora camminava verso un chiarore che pareva venire dall'altro marciapiede, un po' piú in là. Invece la distanza era molto piú lunga: occorreva attraversare una specie di piazza, con in mezzo un isolotto erboso, e le frecce (unico segno intelleggibile) della rotazione obbligatoria per le auto. L'ora era tarda ma certo era aperto ancora qualche caffè, qualche osteria; l'insegna luminosa che cominciava a decifrarsi diceva: Bar... E si spense; su quello che doveva essere un vetro illuminato calò una lama di buio, come una saracinesca. Il bar stava chiudendo, ed era ancora – gli sembrò di capire in quel momento – lontanissimo.

Tanto valeva puntare su un'altra luce: Marcovaldo camminando non sapeva se seguiva una linea retta, se il punto luminoso verso il quale si dirigeva fosse sempre lo stesso o si sdoppiasse o triplicasse o cambiasse di posto. Il pulviscolo d'un nero un po' lattiginoso dentro il quale si muoveva era cosí minuto che già lo sentiva infiltrarsi per il pastrano, tra filo e filo del tessuto, come in un setaccio, imbeverlo come una spugna.

La luce che raggiunse era l'uscio fumoso d'un'osteria. Dentro c'era gente seduta e in piedi al banco, ma, fosse l'illuminazione cattiva, fosse la nebbia penetrata dappertutto, anche lí le figure apparivano sfocate, come appunto in certe osterie che si vedono al cinema, situate in tempi antichi o in paesi lontani.

– Cercavo... se magari loro sanno... Via Pancrazietti... – cominciò a dire, ma nell'osteria c'era rumore, ubriachi che ridevano credendolo ubriaco, e le domande che riuscí a fare, le spiegazioni che riuscí a ottenere, erano anch'esse nebbiose e sfocate. Tanto piú che, per scaldarsi, ordinò – o meglio: si lasciò imporre da quelli che stavano al banco – un quarto di vino, dapprincipio, e poi ancora mezzo litro, piú qualche bicchiere che, con gran manate sulle spalle, gli fu offerto dagli altri. Insomma, quando uscí dall'osteria, le sue idee sulla via di casa non erano piú chiare di prima, ma in compenso piú che mai la nebbia poteva contenere tutti i continenti ed i colori.

Con in corpo il calore del vino, Marcovaldo camminò per un buon quarto d'ora, a passi che sentivano continuamente il bisogno di spaziare a sinistra e a destra per rendersi conto dell'ampiezza del marciapiede (se ancora stava seguendo un marciapiede) e mani che sentivano il bisogno di tastare continuamente i muri (se ancora stava seguendo un muro). La nebbia nelle idee, camminando, gli si diradò; ma quella di fuori restava fitta. Ricordava che all'osteria gli avevano detto di prendere un certo corso, seguirlo per cento metri, poi domandare ancora. Ma adesso non sapeva di quanto s'era allontanato dall'osteria, o se non aveva fatto che girare intorno all'isolato.

I luoghi parevano disabitati, tra muri di mattoni come recinti di fabbriche. A un cantone c'era certamente la tabella col nome della via, ma la luce del lampione, sospeso in mezzo alla carreggiata, non arrivava fin lassú. Marcovaldo per avvicinarsi alla scritta s'arrampicò al palo d'un divieto di sosta. Salí fino a mettere il naso sulla targa, ma la scritta era sbiadita e lui non aveva fiammiferi per illuminarla meglio. Sopra la tabella il muro culminava in un orlo piano e largo, e sporgendosi dal palo del divieto di sosta Marcovaldo riuscí a issarsi là in cima. Aveva intravisto, piantato sopra l'orlo del muro, un grande cartello biancheggiante. Mosse qualche passo sull'orlo del muro, fino al cartello; qui il lampione rischiarava le lettere nere sul fondo bianco, ma la scritta « L'ingresso è severamente vietato alle persone non autorizzate » non serviva a dargli nessun lume.

L'orlo del muro era abbastanza largo da poterci star sopra in equilibrio e camminare; anzi, a pensarci bene, era meglio del marciapiede, perché i lampioni erano all'altezza giusta per illuminare i passi, segnando una striscia chiara in mezzo al buio. A un certo punto il muro terminava e Marcovaldo si trovò contro il capitello d'un pilastro; no, faceva un angolo retto e continuava...

Cosí tra angoli rientranze biforcazioni pilastri il percorso di Marcovaldo seguiva un disegno irregolare; piú volte egli credeva che il muro terminasse e poi scopriva che continuava in un'altra direzione; tra tante giravolte non sapeva piú in che senso era voltato, cioè da che parte avrebbe dovuto saltare, volendo ridiscendere in strada. Saltare... E se il dislivello fosse aumentato? S'accoccolò in cima a un pilastro, cercò di scrutare in basso, da una parte e dall'altra, ma nessun raggio di luce arrivava fino al suolo: poteva trattarsi d'un saltello di due metri come d'un abisso. Non gli restava che proseguire là in cima.

La via di scampo non tardò ad apparire. Era una superficie piana, biancheggiante, contigua al muro: forse il tetto d'un edificio, in cemento – come Marcovaldo si rese conto prendendo a camminarci – che si prolungava nel buio. Si pentí subito d'essercisi inoltrato: adesso aveva perso qualsiasi punto di riferimento, s'era allontanato dalla fila dei lampioni, e ogni passo che faceva poteva portarlo sull'orlo del tetto, o piú in là, nel vuoto.

Il vuoto era veramente un baratro. Dal basso trasparivano piccole luci, come ad una gran distanza, e se laggiú erano i lampioni, il suolo doveva essere molto piú in basso ancora. Marcovaldo si trovava sospeso in uno spazio impossibile da immaginare: a tratti in alto apparivano luci verdi e rosse, disposte in figure irregolari come costellazioni. Scrutando quelle luci a naso in su, non tardò a succedergli d'allungare un passo nel vuoto e di precipitare.

« Sono morto! » pensò, ma nel momento stesso si trovò seduto su di un terreno molle; le sue mani tastavano dell'erba; era caduto in mezzo a un prato, incolume. Le luci basse, che gli erano sembrate cosí lontane, erano tante lampadine in fila al livello del suolo.

Un posto insolito per mettere delle luci, però comodo, perché gli tracciavano un cammino. Il suo piede adesso non calpestava piú l'erba ma l'asfalto: in mezzo ai prati passava una grande via asfaltata, illuminata da quei raggi luminosi raso terra. Intorno, niente: solo gli altissimi bagliori colorati, che apparivano e sparivano.

« Una strada asfaltata porterà da qualche parte », Marcovaldo pensò, e prese a seguirla. Arrivò a una biforcazione, anzi a un incrocio, ogni ramo di strada fiancheggiato da quelle piccole lampade basse, e con enormi cifre bianche segnate al suolo.

Si scoraggiò. Cosa importava scegliere da che parte andare se intorno non c'era che questa piatta prateria d'erba e nebbia vuota? Fu a questo punto che vide, a altezza d'uomo, un movimento di raggi di luce. Un uo-

mo, veramente un uomo con le braccia aperte, vestito – pareva – d'una tuta gialla, agitava due palette luminose come quelle dei capistazione.

Marcovaldo corse verso quest'uomo e prima ancora
d'averlo raggiunto prese a dire, tutto affannato: – Ehi,
lei, dica, io qui, in mezzo a questa nebbia, come si fa,
ascolti...

– Non si preoccupi, – rispose tranquilla e cortese la
voce dell'uomo in giallo, – sopra i mille metri non c'è
nebbia, vada sicuro, la scaletta è lí avanti, gli altri sono già saliti.

Era un discorso oscuro, ma incoraggiante: a Marcovaldo soprattutto piacque di sentire che a poca distanza c'erano altre persone; avanzò per raggiungerle senza fare altre domande.

La scaletta misteriosamente preannunciata era proprio una piccola scala con comodi scalini fiancheggiati
da due parapetti, che biancheggiava nel buio. Marcovaldo salí. Sulla soglia d'una porticina una ragazza lo
salutò con tanta gentilezza che pareva impossibile si
rivolgesse proprio a lui.

Marcovaldo si profuse in riverenze: – I miei rispet-
ti, signorina! Tante belle cose! – Imbevuto di freddo
e di umidità com'era non gli pareva vero di trovar rifugio sotto un tetto...

Entrò, sbatté gli occhi abbagliato dalla luce. Non
era in una casa. Era, dove?, in un autobus, credette di
capire, un lungo autobus con molti posti vuoti. Si se-
dette; di solito per rincasare prendeva non l'autobus
ma il tram perché il biglietto costava un po' meno, ma
stavolta s'era smarrito in una zona cosí lontana che
certamente c'erano solo autobus che facevano servizio. Che fortuna d'essere arrivato in tempo per questa
che doveva essere l'ultima corsa! E che morbide, ac-
coglienti le poltrone! Marcovaldo, ora che lo sapeva,
avrebbe preso sempre l'autobus, anche se i passegge-

ri erano sottoposti a qualche obbligo (« ...Sono pregati, – diceva un altoparlante, – di non fumare e allacciarsi le cinture... »), anche se il rombo del motore in partenza era addirittura esagerato.

Qualcuno in uniforme passava tra i sedili. – Scusi, signor bigliettaio, – disse Marcovaldo, – sa se c'è una fermata dalle parti di via Pancrazio Pancrazietti?

– Come dice signore? Il primo scalo è Bombay, poi Calcutta e Singapore.

Marcovaldo si guardò intorno. Negli altri posti erano seduti impassibili indiani con la barba e col turbante. C'era pure qualche donna, avvolta in un sari ricamato, e con un tondino di lacca sulla fronte. La notte ai finestrini appariva piena di stelle, ora che l'aeroplano, attraversata la fitta coltre di nebbia, volava nel cielo limpido delle grandi altezze.

Era un tempo in cui i piú semplici cibi racchiudevano minacce insidie e frodi. Non c'era giorno in cui qualche giornale non parlasse di scoperte spaventose nella spesa del mercato: il formaggio era fatto di materia plastica, il burro con le candele steariche, nella frutta e verdura l'arsenico degli insetticidi era concentrato in percentuali piú forti che non le vitamine, i polli per ingrassarli li imbottivano di certe pillole sintetiche che potevano trasformare in pollo chi ne mangiava un cosciotto. Il pesce fresco era stato pescato l'anno scorso in Islanda e gli truccavano gli occhi perché sembrasse di ieri. Da certe bottiglie di latte era saltato fuori un sorcio, non si sa se vivo o morto. Da quelle d'olio non colava il dorato succo dell'oliva, ma grasso di vecchi muli, opportunamente distillato.

Marcovaldo al lavoro o al caffè ascoltava raccontare queste cose e ogni volta sentiva come il calcio d'un mulo nello stomaco, o il correre d'un topo per l'esofago. A casa, quando sua moglie Domitilla tornava dalla spesa, la vista della sporta che una volta gli dava tanta gioia, con i sedani, le melanzane, la carta ruvida e porosa dei pacchetti del droghiere e del salumaio, ora gli ispirava timore come per l'infiltrarsi di presenze nemiche tra le mura di casa.

« Tutti i miei sforzi devono essere diretti, – si ripromise, – a provvedere la famiglia di cibi che non siano passati per le mani infide di speculatori ». Al mattino andando al lavoro, incontrava alle volte uomini con la lenza e gli stivali di gomma, diretti al lungofiume. «È quella la via», si disse Marcovaldo. Ma il fiume lí in città, che raccoglieva spazzature scoli e fogne, gli ispirava una profonda ripugnanza. «Devo cercare un posto, – si disse, – dove l'acqua sia davvero acqua, i pesci davvero pesci. Lí getterò la mia lenza».

Le giornate cominciavano ad allungarsi: col suo ciclomotore, dopo il lavoro Marcovaldo si spingeva a esplorare il fiume nel suo corso a monte della città, e i fiumicelli suoi affluenti. Lo interessavano soprattutto i tratti in cui l'acqua scorreva piú discosta dalla strada asfaltata. Prendeva per i sentieri, tra le macchie di salici, sul suo motociclo finché poteva, poi – lasciatolo in un cespuglio – a piedi, finché arrivava al corso d'acqua. Una volta si smarrí: girava per ripe cespugliose e scoscese, e non trovava piú alcun sentiero, né sapeva piú da che parte fosse il fiume: a un tratto, spostando certi rami, vide, a poche braccia sotto di sé, l'acqua silenziosa – era uno slargo del fiume, quasi un piccolo calmo bacino –, d'un colore azzurro che pareva un laghetto di montagna.

L'emozione non gli impedí di scrutare giú tra le sottili increspature della corrente. Ed ecco, la sua ostinazione era premiata! un battito, il guizzo inconfondibile d'una pinna a filo della superficie, e poi un altro, un altro ancora, una felicità da non credere ai suoi occhi: quello era il luogo di raccolta dei pesci di tutto il fiume, il paradiso del pescatore, forse ancora sconosciuto a tutti tranne a lui. Tornando (già imbruniva) si fermò a incidere segni sulla corteccia degli olmi, e ad ammucchiare pietre in certi punti, per poter ritrovare il cammino.

Ora non gli restava che farsi l'equipaggiamento. Veramente, già ci aveva pensato: tra i vicini di casa e il personale della ditta aveva già individuato una decina d'appassionati della pesca. Con mezze parole e allusioni, promettendo a ciascuno d'informarlo, appena ne fosse stato ben sicuro, d'un posto pieno di tinche conosciuto da lui solo, riuscí a farsi prestare un po' dall'uno un po' dall'altro un arsenale da pescatore il piú completo che si fosse mai visto.

A questo punto non gli mancava nulla: canna lenza ami esca retino stivaloni sporta, una bella mattina, due ore di tempo – dalle sei alle otto – prima d'andare a lavorare, il fiume con le tinche... Poteva non prenderne? Difatti: bastava buttare la lenza e ne prendeva; le tinche abboccavano prive di sospetto. Visto che con la lenza era cosí facile, provò con la rete: erano tinche cosí ben disposte che correvano nella rete a capofitto.

Quando fu l'ora d'andarsene, la sua sporta era già piena. Cercò un cammino, risalendo il fiume.

– Ehi, lei! – a un gomito dalla riva, tra i pioppi, c'era ritto un tipo col berretto da guardia, che lo fissava brutto.

– Me? Che c'è? – fece Marcovaldo avvertendo un'ignota minaccia contro le sue tinche.

– Dove li ha presi, quei pesci lí? – disse la guardia.

– Eh? Perché? – e Marcovaldo aveva già il cuore in gola.

– Se li ha pescati là sotto, li butti via subito: non ha visto la fabbrica qui a monte? – e indicava difatti un edificio lungo e basso che ora, girata l'ansa del fiume, si scorgeva, di là dei salici, e che buttava nell'aria fumo e nell'acqua una nube densa d'un incredibile colore tra turchese e violetto. – Almeno l'acqua, di che colore è, l'avrà vista! Fabbrica di vernici: il fiume è avvelenato per via di quel blu, e i pesci anche. Li butti subito, se no glieli sequestro!

Marcovaldo ora avrebbe voluto buttarli lontano al

piú presto, toglierseli di dosso, come se solo l'odore bastasse ad avvelenarlo. Ma davanti alla guardia, non voleva fare quella brutta figura. – E se li avessi pescati piú su?

– Allora è un altro paio di maniche. Glieli sequestro e le faccio la multa. A monte della fabbrica c'è una riserva di pesca. Lo vede il cartello?

– Io, veramente, – s'affrettò a dire Marcovaldo, – porto la lenza cosí, per darla da intendere agli amici, ma i pesci li ho comperati dal pescivendolo del paese qui vicino.

– Niente da dire, allora. Resta solo il dazio da pagare, per portarli in città: qui siamo fuori della cinta[1].

Marcovaldo aveva già aperto la sporta e la rovesciava nel fiume. Qualcuna delle tinche doveva essere ancora viva, perché guizzò via tutta contenta.

1. La « cinta daziaria », limite di un comune entro il quale non si paga dazio per il trasporto di merci.

La notte durava venti secondi, e venti secondi il GNAC. Per venti secondi si vedeva il cielo azzurro variegato di nuvole nere, la falce della luna crescente dorata, sottolineata da un impalpabile alone, e poi stelle che piú le si guardava piú infittivano la loro pungente piccolezza, fino allo spolverio della Via Lattea, tutto questo visto in fretta in fretta, ogni particolare su cui ci si fermava era qualcosa dell'insieme che si perdeva, perché i venti secondi finivano subito e cominciava il GNAC.

Il GNAC era una parte della scritta pubblicitaria SPAAK-COGNAC sul tetto di fronte, che stava venti secondi accesa e venti spenta, e quando era accesa non si vedeva nient'altro. La luna improvvisamente sbiadiva, il cielo diventava uniformemente nero e piatto, le stelle perdevano il brillio, e i gatti e le gatte che da dieci secondi lanciavano gnaulii d'amore muovendosi languidi uno incontro all'altro lungo le grondaie e le cimase[1], ora, col GNAC, s'acquattavano sulle tegole a pelo ritto, nella fosforescente luce al neon.

Affacciata alla mansarda[2] in cui abitava, la famiglia di Marcovaldo era attraversata da opposte correnti di

1. Cfr. la nota 1 a p. 78.
2. Locale sotto un tetto spiovente, che solitamente prende luce da un abbaino. Abbiamo visto in altri racconti che la famiglia di Marcovaldo abitava in un seminterrato, in una specie di cantina. Ora la vediamo in un altro domicilio: una mansarda sui tetti.

pensieri. C'era la notte e Isolina, che ormai era una ragazza grande, si sentiva trasportata per il chiar di luna, il cuore le si struggeva, e fino il piú smorzato gracchiar di radio dai piani inferiori dello stabile le arrivava come i rintocchi d'una serenata; c'era il GNAC e quella radio pareva pigliare un altro ritmo, un ritmo jazz, e Isolina pensava ai dancing tutti luci e lei poverina lassú sola. Pietruccio e Michelino sgranavano gli occhi nella notte e si lasciavano invadere da una calda e soffice paura d'esser circondati di foreste piene di briganti; poi, il GNAC! e scattavano coi pollici dritti e gli indici tesi, l'uno contro l'altro: – Alto le mani! Sono Nembo Kid[1]! – Domitilla, la madre, a ogni spegnersi della notte pensava: « Ora i ragazzi bisogna ritirarli, quest'aria può far male. E Isolina affacciata a quest'ora è una cosa che non va! » Ma tutto poi era di nuovo luminoso, elettrico, fuori come dentro, e Domitilla si sentiva come in visita in una casa di riguardo.

Fiordaligi, invece, giovinotto melanconico, vedeva ogni volta che si spegneva il GNAC apparire dentro la voluta del *gi* la finestrina appena illuminata d'un abbaino, e dietro il vetro un viso di ragazza color di luna, color di neon, color di luce nella notte, una bocca ancor quasi da bambina che appena lui le sorrideva si schiudeva impercettibilmente e già pareva aprirsi in un sorriso, quando tutt'un tratto dal buio risaettava fuori quello spietato *gi* del GNAC e il viso perdeva i contorni, si trasformava in una fioca ombra chiara, e della bocca bambina non si sapeva piú se aveva risposto al suo sorriso.

In mezzo a questa tempesta di passioni, Marcovaldo cercava d'insegnare ai figlioli la posizione dei corpi celesti.

1. Protagonista di avventure a « fumetti ».

– Quello è il Gran Carro, uno due tre quattro e lí il timone, quello è il Piccolo Carro, e la Stella Polare segna il Nord.

– E quell'altra, cosa segna?

– Quella segna *ci*. Ma non c'entra con le stelle. È l'ultima lettera della parola COGNAC. Le stelle invece segnano i punti cardinali. Nord Sud Est Ovest. La luna ha la gobba a ovest. Gobba a ponente, luna crescente. Gobba a levante, luna calante.

– Papà, allora il cognac è calante? La *ci* ha la gobba a levante!

– Non c'entra, crescente o calante: è una scritta messa lí dalla ditta Spaak.

– E la luna che ditta l'ha messa?

– La luna non l'ha messa una ditta. È un satellite, e c'è sempre.

– Se c'è sempre, perché cambia di gobba?

– Sono i quarti. Se ne vede solo un pezzo.

– Anche di COGNAC se ne vede solo un pezzo.

– Perché c'è il tetto del palazzo Pierbernardi che è piú alto.

– Piú alto della luna?

E cosí, ad ogni accendersi del GNAC, gli astri di Marcovaldo andavano a confondersi coi commerci terrestri, ed Isolina trasformava un sospiro nell'ansimare d'un *mambo*[1] canticchiato, e la ragazza dell'abbaino scompariva in quell'anello abbagliante e freddo, nascondendo la sua risposta al bacio che Fiordaligi aveva finalmente avuto il coraggio di mandarle sulla punta delle dita, e Filippetto e Michelino coi pugni davanti al viso giocavano al mitragliamento aereo, – Tata-ta-tà... – contro la scritta luminosa, che dopo i venti secondi si spegneva.

1. Nome d'una danza che era di moda negli anni in cui il racconto è stato scritto.

– Ta-ta-tà... Hai visto, papà, che l'ho spenta con una sola raffica? – disse Filippetto, ma già, fuori della luce al neon, il suo fanatismo guerriero era svanito e gli occhi gli si riempivano di sonno.

– Magari! – scappò detto al padre, – andasse in pezzi! Vi farei vedere il Leone, i Gemelli...

– Il Leone! – Michelino fu preso d'entusiasmo.

– Aspetta! – Gli era venuta un'idea. Prese la fionda, la caricò del ghiaino di cui sempre aveva in tasca una riserva, e tirò una sventagliata di sassolini con tutte le forze contro il GNAC.

Si sentí la gragnuola cadere sparpagliata sulle tegole del tetto di fronte, sulle lamiere della gronda, il tintinnio dei vetri d'una finestra colpita, il gong d'un sassolino picchiato giú sulla scodella d'un fanale, una voce in strada: – Piovono pietre! Ehi lassú! Mascalzone! – Ma la scritta luminosa proprio sul momento del tiro s'era spenta per la fine dei suoi venti secondi. E tutti nella mansarda presero mentalmente a contare: uno due tre, dieci undici, fino a venti. Contarono diciannove, tirarono il respiro, contarono venti, contarono ventuno ventidue nel timore d'aver contato troppo in fretta, ma no, nulla, il GNAC non si riaccendeva, restava un nero ghirigoro male decifrabile intrecciato al suo castello di sostegno come la vite alla pergola. – Aaah! – gridarono tutti e la cappa del cielo s'alzò infinitamente stellata su di loro.

Marcovaldo, interrotto a mano alzata nello scapaccione che voleva dare a Michelino, si sentí come proiettato nello spazio. Il buio che ora regnava all'altezza dei tetti faceva come una barriera oscura che escludeva laggiú il mondo dove continuavano a vorticare geroglifici gialli e verdi e rossi, e ammiccanti occhi di semafori, e il luminoso navigare dei tram vuoti, e le auto invisibili che spingono davanti a sé il cono di luce dei fanali. Da questo mondo non saliva lassú che una diffusa fosforescenza, vaga come un fumo. E ad alzare lo sguardo non piú abbarbagliato, s'apriva la prospettiva degli spazi, le costellazioni si dilatavano in profondità, il firmamento ruotava per ogni dove, sfera che contiene tutto e non la contiene nessun limite, e solo uno sfittire della sua trama, come una breccia, apriva verso Venere, per farla risaltare sola sopra la cornice della terra, con la sua ferma trafittura di luce esplosa e concentrata in un punto.

Sospesa in questo cielo, la luna nuova anziché ostentare l'astratta apparenza di mezzaluna rivelava la sua natura di sfera opaca illuminata intorno dagli sbiechi raggi d'un sole perduto dalla terra, ma che pur conserva – come può vedersi solo in certe notti di prima estate – il suo caldo colore. E Marcovaldo a guardare quella stretta riva di luna tagliata là tra ombra e luce, provava una nostalgia come di raggiungere una spiaggia rimasta miracolosamente soleggiata nella notte.

Cosí restavano affacciati alla mansarda, i bambini spaventati dalle smisurate conseguenze del loro gesto, Isolina rapita come in estasi, Fiordaligi che unico tra tutti scorgeva il fioco abbaino illuminato e finalmente il sorriso lunare della ragazza. La mamma si riscosse: – Su, su, è notte, cosa fate affacciati? Vi prenderete un malanno, sotto questo chiaro di luna!

Michelino puntò la fionda in alto. – E io spengo la luna! – Fu acciuffato e messo a letto.

Cosí per il resto di quella e per tutta la notte dopo, la scritta luminosa sul tetto di fronte diceva solo SPAAK-CO e dalla mansarda di Marcovaldo si vedeva il firmamento. Fiordaligi e la ragazza lunare si mandavano baci sulle dita, e forse parlandosi alla muta sarebbero riusciti a fissare un appuntamento.

Ma la mattina del secondo giorno, sul tetto, tra i castelli della scritta luminosa si stagliavano esili esili le figure di due elettricisti in tuta, che verificavano i tubi e i fili. Con l'aria dei vecchi che prevedono il tempo che farà, Marcovaldo mise il naso fuori e disse:

— Stanotte sarà di nuovo una notte di GNAC.

Qualcuno bussava alla mansarda. Aprirono. Era un signore con gli occhiali. — Scusino, potrei dare un'occhiata dalla loro finestra? Grazie, — e si presentò:

— Dottor Godifredo, agente di pubblicità luminosa.

« Siamo rovinati! Ci vogliono far pagare i danni! — pensò Marcovaldo e già si mangiava i figli con gli occhi, dimentico dei suoi rapimenti astronomici. — Ora guarda alla finestra e capisce che i sassi non posson essere stati tirati che di qua ». Tentò di mettere le mani avanti: — Sa, son ragazzi, tirano cosí, ai passeri, pietruzze, non so come mai è andata a guastarsi quella scritta della Spaak. Ma li ho castigati, eh, se li ho castigati! E può star sicuro che non si ripeterà piú.

Il dottor Godifredo fece una faccia attenta. — Veramente, io lavoro per la « Cognac Tomawak », non per la « Spaak ». Ero venuto per studiare la possibilità di una réclame luminosa su questo tetto. Ma mi dica, mi dica lo stesso, m'interessa.

Fu cosí che Marcovaldo, mezz'ora dopo, concludeva un contratto con la « Cognac Tomawak », la principale concorrente della « Spaak ». I bambini dovevano tirare con la fionda contro il GNAC ogni volta che la scritta veniva riattivata.

— Dovrebb'essere la goccia che fa traboccare il vaso, — disse il dottor Godifredo. Non si sbagliava: già sull'orlo della bancarotta per le forti spese di pubblicità sostenute, la « Spaak » vide i continui guasti alla sua piú bella réclame luminosa come un cattivo auspicio. La scritta che ora diceva COGAC ora CONAC ora CONC diffondeva tra i creditori l'idea d'un dissesto; a un certo punto l'agenzia pubblicitaria si rifiutò di fare altre riparazioni se non le venivano pagati gli arre-

97

trati; la scritta spenta fece crescere l'allarme tra i creditori; la « Spaak » fallí.

Nel cielo di Marcovaldo la luna piena tondeggiava in tutto il suo splendore.

Era l'ultimo quarto, quando gli elettricisti tornarono a rampare sul tetto di fronte. E quella notte, a caratteri di fuoco, caratteri alti e spessi il doppio di prima, si leggeva COGNAC TOMAWAK, e non c'erano piú luna né firmamento né cielo né notte, soltanto COGNAC TOMAWAK, COGNAC TOMAWAK, COGNAC TOMAWAK che s'accendeva e si spegneva ogni due secondi.

Il piú colpito di tutti fu Fiordaligi; l'abbaino della ragazza lunare era sparito dietro a un'enorme, impenetrabile *vu doppia*.

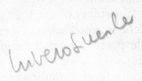

In ditta, tra le varie altre incombenze, a Marcovaldo toccava quella d'innaffiare ogni mattina la pianta
in vaso dell'ingresso. Era una di quelle piante verdi
che si tengono in casa, con un fusto diritto ed esile da
cui si staccano, da una parte e dall'altra, su lunghi
gambi foglie larghe e lucide [1]: insomma, una di quelle
piante cosí a forma di pianta, con foglie cosí a forma
di foglia, che non sembrano vere. Ma era pur sempre
una pianta, e come tale soffriva, perché a star lí, tra la
tenda e il portaombrelli, le mancavano luce, aria e
rugiada. Marcovaldo ogni mattina scopriva qualche
brutto segno: a una foglia il gambo s'inclinava come
se non ce la facesse piú a reggere il peso, un'altra s'andava picchiettando di chiazze come la guancia d'un
bambino col morbillo, la punta d'una terza ingialliva;
finché, una o l'altra, tac!, la si trovava in terra. Intanto (quel che piú stringeva il cuore) il fusto della pianta s'allungava, s'allungava, non piú ordinatamente
fronzuto, ma nudo come un bastone, con un ciuffetto
in cima che la faceva somigliare a un palmizio.

Marcovaldo sgomberava il pavimento dalle foglie
cadute, spolverava quelle sane, versava a piè della
pianta (lentamente, che non traboccasse sporcando le
piastrelle) mezzo annaffiatoio d'acqua, subito bevuto
dalla terra del vaso. E in questi semplici gesti metteva

1. Dalla descrizione sembra si tratti di un *ficus elastica*.

un'attenzione come in nessun altro suo lavoro, quasi una compassione per le disgrazie d'una persona di famiglia. E sospirava, non si sa se per la pianta o per sé: perché in quell'arbusto che ingialliva allampanato tra le pareti aziendali riconosceva un fratello di sventura.

La pianta (cosí, semplicemente, essa era chiamata, come se ogni nome piú preciso fosse inutile in un ambiente in cui a essa sola toccava di rappresentare il regno vegetale) era entrata nella vita di Marcovaldo tanto da dominare i suoi pensieri in ogni ora del giorno e della notte. Lo sguardo con cui egli ora scrutava in cielo l'addensarsi delle nuvole, non era piú quello del cittadino che si domanda se deve o no prendere l'ombrello, ma quello dell'agricoltore che di giorno in giorno aspetta la fine della siccità. E appena, alzando il capo dal lavoro, scorgeva controluce, fuor della finestrella del magazzino, la cortina di pioggia che aveva cominciato a scendere fitta e silenziosa, lasciava lí tutto, correva alla pianta, prendeva in braccio il vaso e lo posava fuori, in cortile.

La pianta, a sentir l'acqua che le scorreva per le foglie, pareva espandersi per offrire piú superficie possibile alle gocce, e dalla gioia colorarsi del suo verde piú brillante: o almeno cosí sembrava a Marcovaldo che si fermava a contemplarla dimenticando di mettersi al riparo.

Restavano lí in cortile, uomo e pianta, l'uno di fronte all'altra, l'uomo quasi provando sensazioni da pianta sotto la pioggia, la pianta – disabituata all'aria aperta e ai fenomeni della natura – sbalordita quasi quanto un uomo che si trovi tutt'a un tratto bagnato dalla testa ai piedi e coi vestiti zuppi. Marcovaldo, a naso in su, assaporava l'odore della pioggia, un odore – per lui – già di boschi e di prati, e andava inseguendo con la mente dei ricordi indistinti. Ma tra questi ricordi s'affacciava, piú chiaro e vicino, quello dei dolori reumatici che lo affliggevano ogni anno; e allora, in fretta, ritornava al coperto.

Finito l'orario di lavoro, bisognava chiudere la ditta. Marcovaldo chiese al magazziniere-capo: – Posso lasciar fuori la pianta, lí in cortile?

Il capo, signor Viligelmo, era un tipo che rifuggiva dalle responsabilità troppo onerose. – Sei matto? E se la rubano? Chi è che ne risponde?

Marcovaldo però, a vedere il profitto che la pianta traeva dalla pioggia, non si sentiva di rimetterla al chiuso: sarebbe stato sprecare quel dono del cielo. – Potrei tenerla con me fino a domattina... – propose. – La carico sul portapacchi e me la porto a casa... Cosí le faccio prendere piú pioggia che si può...

Il signor Viligelmo ci pensò un poco, poi concluse: – Vuol dire che ne rispondi tu, – e assentí.

Marcovaldo attraversava la città sotto la pioggia dirotta, curvo sul manubrio della sua bicicletta a motore, incappucciato in una giacca-a-vento impermeabile. Dietro, sul portapacchi, aveva legato il vaso, e bici uomo pianta parevano una cosa sola, anzi l'uomo ingobbito e infagottato scompariva, e si vedeva solo una pianta in bicicletta. Ogni tanto, da sotto il cappuccio, Marcovaldo voltava indietro lo sguardo fino a veder sventolare dietro le sue spalle una foglia stillante: e ogni volta gli pareva che la pianta fosse diventata piú alta e piú fronzuta.

A casa – una mansarda col davanzale sui tetti – appena Marcovaldo arrivò col vaso tra le braccia, i bambini presero a fare girotondo.

– L'albero di Natale! L'albero di Natale!

– Ma no, cosa vi viene in mente? C'è tempo a Natale! – protestava Marcovaldo. – Attenti alle foglie che sono delicate!

– Già in questa casa ci stiamo come in una scatola

di sardine, – brontolò Domitilla. – Se ci porti pure un albero, dovremo uscire noi...

– Ma se è una piantina! La metto sul davanzale...

L'ombra della pianta sul davanzale si poteva vedere dalla stanza. Marcovaldo a cena non guardava nel piatto ma oltre i vetri della finestra.

Da quando avevano lasciato il seminterrato per la mansarda, la vita di Marcovaldo e famiglia era migliorata di molto. Però anche l'abitare sotto i tetti aveva i suoi inconvenienti: il soffitto per esempio lasciava colare qualche goccia. Le gocce cadevano in quattro o cinque punti ben precisi, a intervalli regolari; e Marcovaldo vi metteva sotto bacinelle o casseruole. Le notti di pioggia quando tutti erano a letto, si sentiva il tic-toc-tuc dei vari gocciolii, che dava un brivido come per un presagio di reumatismi. Quella notte, invece, a Marcovaldo, ogni volta che nel suo sonno inquieto si svegliava e tendeva l'orecchio, il tic-toc-tuc pareva una musichetta allegra: gli diceva che la pioggia continuava, blanda e ininterrotta, e nutriva la pianta, spingeva la linfa su per gli esili peduncoli, tendeva le foglie come vele. «Domani, affacciandomi, la troverò cresciuta!» pensava.

Ma con tutto che l'avesse pensato, aprendo la finestra al mattino non poteva credere ai suoi occhi: la pianta ora ingombrava mezza finestra, le foglie erano per lo meno raddoppiate di numero, e non piú reclinate sotto il loro peso ma tese e aguzze come spade. Scese le scale col vaso stretto al petto, lo legò al portapacchi e corse in ditta.

Era spiovuto, ma la giornata rimaneva incerta. Marcovaldo non era ancora sceso di sella, quando riprese a cascare qualche goccia. «Visto che le fa cosí bene, la lascio ancora in cortile» pensò lui.

In magazzino, ogni tanto andava a mettere il naso fuori della finestrella che dava sul cortile. Questo suo distrarsi dal lavoro, al magazziniere-capo non garbava. – Be', cosa ci hai oggi, da guardare fuori?

– Cresce! Venga a vedere anche lei, signor Viligelmo! – e Marcovaldo gli faceva cenno con la mano, e parlava quasi sottovoce, come se la pianta non dovesse accorgersene. – Guardi come cresce! Neh, che è cresciuta?

– Sí, è cresciuta un bel po', – ammise il capo, e per Marcovaldo fu una di quelle soddisfazioni che la vita in ditta riserva ben di rado al personale.

Era sabato. Il lavoro terminava all'una e fino al lunedí non si tornava. Marcovaldo avrebbe voluto riprendere la pianta con sé, ma ormai, non piovendo piú, non sapeva che scusa trovare. Il cielo però non era sgombro: nubi nere, a cumuli, erano sparse un po' qua e un po' là. Andò dal capo, che, appassionato di metereologia, teneva appeso sopra il suo tavolo un barometro. – Come si mette, signor Viligelmo?

– Brutto, sempre brutto, – lui disse. – Del resto, qui non sta piovendo, ma nel quartiere dove abito sí: ho telefonato ora a mia moglie.

– Allora, – s'affrettò a proporre Marcovaldo, – io porterei la pianta a fare un giro dove piove, – e detto fatto tornò a sistemare il vaso sul portapacchi della bici.

Il sabato pomeriggio e la domenica, Marcovaldo li passò in questo modo: caracollando sul sellino della sua bicicletta a motore, con la pianta dietro, scrutava il cielo, cercava una nuvola che gli sembrasse ben intenzionata, e correva per le vie finché non incontrava pioggia. Ogni tanto, voltandosi, vedeva la pianta un po' piú alta: alta come i taxi, come i camioncini, come i tram! E con le foglie sempre piú larghe, dalle quali la pioggia scivolava sul suo cappuccio impermeabile come da una doccia.

Ormai era un albero su due ruote, quello che correva la città disorientando vigili guidatori pedoni. E le nuvole, nello stesso tempo, correvano le vie del vento, sventagliavano di pioggia un quartiere e poi l'abbandonavano; e i passanti uno a uno sporgevano la mano e richiudevano gli ombrelli; e, per vie e corsi e piazze, Marcovaldo rincorreva la sua nuvola, curvo sul manubrio, imbacuccato nel cappuccio da cui sporgeva solo il naso, col motorino scoppiettante a tutto gas, tenendo la pianta nella traiettoria delle gocce, come se lo strascico di pioggia che la nuvola si tirava dietro si fosse impigliato alle foglie e cosí tutto corresse trascinato dalla stessa forza: vento nuvola pioggia pianta ruote.

Il lunedí Marcovaldo si presentò al signor Viligelmo a mani vuote.

– E la pianta? – chiese subito il magazziniere-capo.

– È fuori. Venga.

– Dove? – fece Viligelmo. – Non la vedo.

– È quella lí. È cresciuta un po'... – e indicò un albero che arrivava al secondo piano. Era piantato non piú nel vecchio vaso ma in una specie di barile, e al posto della bicicletta Marcovaldo aveva dovuto procurarsi un motociclo a furgoncino.

– E adesso? – s'infuriò il capo. – Come possiamo farla stare nell'ingresso? Non passa piú dalle porte!

Marcovaldo si strinse nelle spalle.

– L'unica, – disse Viligelmo, – è restituirla al vivaio[1] in cambio d'un'altra dalle dimensioni giuste!

Marcovaldo rimontò in sella. – Vado.

Ricominciò la corsa per la città. L'albero riempiva di verde il centro delle vie. I vigili, preoccupati per il traffico, lo fermavano a ogni incrocio; poi – quando Marcovaldo spiegava che stava riportando la pianta al

1. Propriamente è il terreno in cui vengono coltivate piante che verranno poi trapiantate altrove; qui si intende uno stabilimento orticolo che coltiva piante per venderle.

vivaio per toglierla di mezzo – lo lasciavano proseguire. Ma, gira gira, Marcovaldo la strada del vivaio non
si decideva a imboccarla. Di separarsi dalla sua creatura, ora che l'aveva tirata su con tanta fortuna, non
aveva cuore: nella sua vita gli pareva di non aver mai
avuto tante soddisfazioni come da questa pianta.

E così continuava a far la spola per vie e piazze e
lungofiumi e ponti. E una verzura da foresta tropicale
dilagava fino a coprirgli la testa le spalle le braccia, fino a farlo scomparire nel verde. E tutte queste foglie
e gambi di foglia ed anche il fusto (che era rimasto
sottilissimo) oscillavano oscillavano come per un continuo tremito, sia che scrosci di pioggia ancora scen-
dessero a percuoterli, sia che le gocce si facessero più
rade, sia che s'interrompessero del tutto.

Spiovve. Era l'ora verso il tramonto. In fondo alle
vie, nello spazio tra le case, si posò una luce confusa
d'arcobaleno. La pianta, dopo quell'impetuoso sforzo
di crescita che l'aveva tesa finché durava la pioggia, si
trovò come sfinita. Marcovaldo continuando la sua
corsa senza meta non s'accorgeva che dietro di lui le
foglie a una a una passavano dal verde intenso al giallo, un giallo d'oro.

Già da un pezzo, un corteo di motorette e auto e bici e ragazzi s'era messo a seguire l'albero che passava
per la città, senza che Marcovaldo se ne fosse accorto,
e gridavano: – Il baobab! Il baobab![1] – e con grandi: – Oooh! – d'ammirazione seguivano l'ingiallire
delle foglie. Quando una foglia si staccava e volava
via, molte mani s'alzavano per coglierla al volo.

Prese a tirare vento; le foglie d'oro, a raffiche, correvano via a mezz'aria, volteggiavano. Marcovaldo ancora credeva d'avere alle spalle l'albero verde e folto,
quando a un tratto – forse sentendosi nel vento senza

1. Gigantesco albero dell'Africa tropicale.

riparo – si voltò. L'albero non c'era piú: solo uno smilzo stecco da cui si dipartiva una raggera di peduncoli nudi, e ancora un'ultima foglia gialla là in cima. Alla luce dell'arcobaleno tutto il resto sembrava nero: la gente sui marciapiedi, le facciate delle case che facevano ala; e su questo nero, a mezz'aria, giravano giravano le foglie d'oro, brillanti, a centinaia; e mani rosse e rosa a centinaia s'alzavano dall'ombra per acchiapparle; e il vento sollevava le foglie d'oro verso l'arcobaleno là in fondo, e le mani, e le grida; e staccò anche l'ultima foglia che da gialla diventò color d'arancio poi rossa violetta azzurra verde poi di nuovo gialla e poi sparí.

Alle sei di sera la città cadeva in mano dei consumatori. Per tutta la giornata il gran daffare della popolazione produttiva era il produrre: producevano beni di consumo. A una cert'ora, come per lo scatto d'un interruttore, smettevano la produzione e, via!, si buttavano tutti a consumare. Ogni giorno una fioritura impetuosa faceva appena in tempo a sbocciare dietro le vetrine illuminate, i rossi salami a penzolare, le torri di piatti di porcellana a innalzarsi fino al soffitto, i rotoli di tessuto a dispiegare drappeggi come code di pavone, ed ecco già irrompeva la folla consumatrice a smantellare a rodere a palpare a far man bassa. Una fila ininterrotta serpeggiava per tutti i marciapiedi e i portici, s'allungava attraverso le porte a vetri nei magazzini intorno a tutti i banchi, mossa dalle gomitate di ognuno nelle costole di ognuno come da continui colpi di stantuffo. Consumate! e toccavano le merci e le rimettevano giú e le riprendevano e se le strappavano di mano; consumate! e obbligavano le pallide commesse a sciorinare sul bancone biancheria e biancheria; consumate! e i gomitoli di spago colorato giravano come trottole, i fogli di carta a fiori levavano ali starnazzanti, avvolgendo gli acquisti in pacchettini e i pacchettini in pacchetti e i pacchetti in pacchi, legati ognuno col suo nodo a fiocco. E via pacchi pacchetti pacchettini borse borsette vorticavano attorno alla cassa in un ingorgo, mani che frugavano nelle borsette cercando i borsellini e dita che frugavano nei borsellini cercando gli spiccioli, e giú in fondo in mezzo a una foresta di gambe sconosciute e falde di soprabiti i bambini non piú tenuti per mano si smarrivano e piangevano.

Una di queste sere Marcovaldo stava portando a spasso la famiglia. Essendo senza soldi, il loro spasso era guardare gli altri fare spese; inquantoché il denaro, piú ne circola, piú chi ne è senza spera: « Prima o poi finirà per passarne anche un po' per le mie tasche ». Invece, a Marcovaldo, il suo stipendio, tra che era poco e che di famiglia erano in molti, e che c'erano da pagare rate e debiti, scorreva via appena percepito. Comunque, era pur sempre un bel guardare, specie facendo un giro al supermarket.

Il supermarket funzionava col self-service [1]. C'erano quei carrelli, come dei cestini di ferro con le ruote, e ogni cliente spingeva il suo carrello e lo riempiva di ogni bendidio [2]. Anche Marcovaldo nell'entrare prese un carrello lui, uno sua moglie e uno ciascuno i suoi quattro bambini. E cosí andavano in processione coi carrelli davanti a sé, tra banchi stipati da montagne di cose mangerecce, indicandosi i salami e i formaggi e nominandoli, come riconoscessero nella folla visi di amici, o almeno conoscenti.

– Papà, lo possiamo prendere questo? – chiedevano i bambini ogni minuto.

– No, non si tocca, è proibito, – diceva Marcovaldo ricordandosi che alla fine di quel giro li attendeva la cassiera per la somma.

– E perché quella signora lí li prende? – insisteva-

1. L'uso dei negozi in cui i clienti si servono da sé è nato negli Stati Uniti d'America.
2. È l'antica espressione popolare « ogni ben di Dio », che significava « ogni genere di dono del Signore », e poi è stata usata per « ogni genere di cose ».

no, vedendo tutte queste buone donne che, entrate per comprare solo due carote e un sedano, non sapevano resistere di fronte a una piramide di barattoli e tum! tum! tum! con un gesto tra distratto e rassegnato lasciavano cadere lattine di pomodori pelati, pesche sciroppate, alici sott'olio a tambureggiare nel carrello.

Insomma, se il tuo carrello è vuoto e gli altri pieni, si può reggere fino a un certo punto: poi ti prende un'invidia, un crepacuore, e non resisti piú. Allora Marcovaldo, dopo aver raccomandato alla moglie e ai figlioli di non toccare niente, girò veloce a una traversa tra i banchi, si sottrasse alla vista della famiglia e, presa da un ripiano una scatola di datteri, la depose nel carrello. Voleva soltanto provare il piacere di portarla in giro per dieci minuti, sfoggiare anche lui i suoi acquisti come gli altri, e poi rimetterla dove l'aveva presa. Questa scatola, e anche una rossa bottiglia di salsa piccante, e un sacchetto di caffè, e un azzurro pacco di spaghetti. Marcovaldo era sicuro che, facendo con delicatezza, poteva per almeno un quarto d'ora gustare la gioia di chi sa scegliere il prodotto, senza dover pagare neanche un soldo. Ma guai se i bambini lo vedevano! Subito si sarebbero messi a imitarlo e chissà che confusione ne sarebbe nata!

Marcovaldo cercava di far perdere le sue tracce, percorrendo un cammino a zig zag per i reparti, seguendo ora indaffarate servette ora signore impellicciate. E come l'una o l'altra avanzava la mano per prendere una zucca gialla e odorosa o una scatola di triangolari formaggini, lui l'imitava. Gli altoparlanti diffondevano musichette allegre: i consumatori si muovevano o sostavano seguendone il ritmo, e al momento giusto protendevano il braccio e prendevano un oggetto e lo posavano nel loro cestino, tutto a suon di musica.

Il carrello di Marcovaldo adesso era gremito di mercanzia; i suoi passi lo portavano ad addentrarsi in reparti meno frequentati; i prodotti dai nomi sempre meno decifrabili erano chiusi in scatole con figure da cui non risultava chiaro se si trattava di concime per la lattuga o di seme di lattuga o di lattuga vera e propria o di veleno per i bruchi della lattuga o di becchime per attirare gli uccelli che mangiano quei bruchi oppure condimento per l'insalata o per gli uccelli arrosto. Comunque Marcovaldo ne prendeva due o tre scatole.

Cosí andava tra due siepi alte di banchi[1]. Tutt'a un tratto la corsia finiva e c'era un lungo spazio vuoto e deserto con le luci al neon che facevano brillare le piastrelle. Marcovaldo era lí, solo col suo carro di roba, e in fondo a quello spazio vuoto c'era l'uscita con la cassa.

Il primo istinto fu di buttarsi a correre a testa bassa spingendo il carrello davanti a sé come un carro armato e scappare via dal supermarket col bottino prima che la cassiera potesse dare l'allarme. Ma in quel momento da un'altra corsia lí vicino s'affacciò un carrello carico ancor piú del suo, e chi lo spingeva era sua moglie Domitilla. E da un'altra parte se n'affacciò un altro e Filippetto lo stava spingendo con tutte le sue forze. Era quello un punto in cui le corsie di molti reparti convergevano, e da ogni sbocco veniva fuori un bambino di Marcovaldo, tutti spingendo trespoli carichi come bastimenti mercantili. Ognuno aveva avuto la stessa idea, e adesso ritrovandosi s'accorgevano d'aver messo insieme un campionario di tutte le disponibilità del supermarket. – Papà, allora siamo ricchi? – chiese Michelino. – Ce ne avremo da mangiare per un anno?

1. Tra due banchi sovraccarichi di merci in vendita che lo nascondevano come due siepi.

– Indietro! Presto! Lontani dalla cassa! – esclamò Marcovaldo facendo dietrofront e nascondendosi, lui e le sue derrate, dietro ai banchi; e spiccò la corsa piegato in due come sotto il tiro nemico, tornando a perdersi nei reparti. Un rombo risuonava alle sue spalle; si voltò e vide tutta la famiglia che, spingendo i suoi vagoni come un treno, gli galoppava alle calcagna.

– Qui ci chiedono un conto da un milione!

Il supermarket era grande e intricato come un labirinto: ci si poteva girare ore ed ore. Con tante provviste a disposizione, Marcovaldo e familiari avrebbero potuto passarci l'intero inverno senza uscire. Ma gli altoparlanti già avevano interrotto la loro musichetta, e dicevano: – Attenzione! Tra un quarto d'ora il supermarket chiude! Siete pregati d'affrettarvi alla cassa!

Era tempo di disfarsi del carico: ora o mai piú. Al richiamo dell'altoparlante la folla dei clienti era presa da una furia frenetica, come se si trattasse degli ultimi minuti dell'ultimo supermarket in tutto il mondo, una furia non si capiva se di prendere tutto quel che c'era o di lasciarlo lí, insomma uno spingi spingi attorno ai banchi, e Marcovaldo con Domitilla e i figli ne approfittavano per rimettere la mercanzia sui banchi o per farla scivolare nei carrelli d'altre persone. Le restituzioni avvenivano un po' a casaccio: la carta moschicida sul banco del prosciutto, un cavolo cappuccio tra le torte. Una signora, non s'accorsero che invece del carrello spingeva una carrozzella con un neonato: ci rincalzarono un fiasco di barbera.

Questa di privarsi delle cose senz'averle nemmeno assaporate era una sofferenza che strappava le lacrime. E cosí, nello stesso momento che lasciavano un tubetto di maionese, capitava loro sottomano un grappolo di banane, e lo prendevano; o un pollo arrosto invece d'uno spazzolone di nylon; con questo sistema i loro carrelli piú si vuotavano piú tornavano a riempirsi.

La famiglia con le sue provviste saliva e scendeva per le scale rotanti e ad ogni piano da ogni parte si trovava di fronte a passaggi obbligati dove una cassiera di sentinella puntava una macchina calcolatrice crepitante come una mitragliatrice contro tutti quelli che accennavano a uscire. Il girare di Marcovaldo e famiglia somigliava sempre piú a quello di bestie in gabbia o di carcerati in una luminosa prigione dai muri a pannelli colorati.

In un punto, i pannelli d'una parete erano smontati, c'era una scala a pioli posata lí, martelli, attrezzi da carpentiere e muratore. Un'impresa stava costruendo un ampliamento del supermarket. Finito l'orario di lavoro, gli operai se n'erano andati lasciando tutto com'era. Marcovaldo, provviste innanzi, passò per il buco del muro. Di là c'era buio; lui avanzò. E la famiglia, coi carrelli, gli andò dietro.

Le ruote gommate dei carrelli sobbalzavano su un suolo come disselciato, a tratti sabbioso, poi su un piancito d'assi sconnesse. Marcovaldo procedeva in equilibrio su di un asse; gli altri lo seguivano. A un tratto videro davanti e dietro e sopra e sotto tante luci seminate lontano, e intorno il vuoto.

Erano sul castello d'assi d'un'impalcatura, all'altezza delle case di sette piani. La città s'apriva sotto di loro in uno sfavillare luminoso di finestre e insegne e sprazzi elettrici dalle antenne dei tram; piú in su era il cielo stellato d'astri e lampadine rosse d'antenne di stazioni radio. L'impalcatura tremava sotto il peso di tutta quella merce lassú in bilico. Michelino disse:
– Ho paura!

Dal buio avanzò un'ombra. Era una bocca enorme, senza denti, che s'apriva protendendosi su un lungo collo metallico: una gru. Calava su di loro, si fermava alla loro altezza, la ganascia inferiore contro il bordo dell'impalcatura. Marcovaldo inclinò il carrello, rovesciò la merce nelle fauci di ferro, passò avanti. Domitilla fece lo stesso. I bambini imitarono i genitori. La gru richiuse le fauci con dentro tutto il bottino del supermarket e con un gracchiante carrucolare tirò indietro il collo, allontanandosi. Sotto s'accendevano e ruotavano le scritte luminose multicolori che invitavano a comprare i prodotti in vendita nel grande supermarket.

Ogni giorno il postino deponeva qualche busta nelle cassette degli inquilini; solo in quella di Marcovaldo non c'era mai niente, perché nessuno gli scriveva mai, e se non fosse stato ogni tanto per un'ingiunzione di pagamento della luce o del gas, la sua cassetta non sarebbe servita proprio a niente.

– Papà, c'è posta! – grida Michelino.

– Ma va'! – risponde lui. – È la solita réclame!

In tutte le cassette delle lettere spiccava un foglio ripiegato azzurro e giallo. Diceva che per fare una bella saponata il Blancasol era il migliore dei prodotti; chi si presentava col foglietto azzurro e giallo, ne avrebbe avuto un campioncino gratis.

Siccome questi fogli erano stretti e lunghi, alcuni d'essi sporgevano fuori dall'imboccatura delle cassette; altri erano per terra appallottolati o solo un po' sgualciti, perché molti inquilini aprendo la cassetta usavano buttar subito via tutta la carta pubblicitaria che l'ingombrava. Filippetto, Pietruccio e Michelino, un po' raccogliendoli da terra, un po' sfilandoli dalle fessure, un po' addirittura pescandoli con un fil di ferro, cominciarono a far collezione di buoni Blancasol.

– Ne ho piú io!

– No, contali! Scommettiamo che sono io che ne ho di piú!

La campagna pubblicitaria del Blancasol aveva battuto tutto il quartiere, portone per portone. E portone per portone i fratellini si diedero a battere il quartiere, incettando [1] i buoni. Qualche portinaia li cacciò gridando: – Monelli! Cosa venite a rubare? Io telefono alle guardie! – Qualche altra fu contenta che facessero un po' di pulizia di tutta quella cartaccia che si depositava lí ogni giorno.

Alla sera, le due povere stanze di Marcovaldo erano tutte azzurre e gialle di foglietti del Blancasol; i bambini li contavano e ricontavano e ammucchiavano in pacchetti come i cassieri delle banche con le banconote.

– Papà, se ne abbiamo tanti, potremo mettere su una lavanderia? – domandava Filippetto.

In quei giorni, il mondo della produzione di detersivi era in grande agitazione. La campagna pubblicitaria del Blancasol aveva messo in allarme le ditte concorrenti. Per il lancio dei loro prodotti, esse distribuivano in tutte le cassette postali della città questi tagliandi che davano diritto a campioni gratuiti sempre piú grossi.

I bambini di Marcovaldo nei giorni seguenti ebbero un gran daffare. Le cassette delle lettere ogni mattino fiorivano come alberi di pesco a primavera: foglietti con disegni verdi rosa celeste arancione promettevano candidi bucati a chi usava Spumador o Lavolux o Saponalba o Limpialin. Per i ragazzi, le collezioni di tagliandi e buoni-omaggio s'allargavano di sempre nuove classificazioni. Nello stesso tempo, s'allargava il territorio della raccolta, estendendosi ai portoni d'altre strade.

Naturalmente, tali manovre non potevano passare inosservate. I ragazzi del vicinato non tardarono a ca-

1. Qui vuol dire semplicemente: raccogliendo in quantità. Propriamente « fare incetta » vuol dire comprare tutto il quantitativo d'una data merce sul mercato, per farne salire il prezzo.

pire di che mai andavano a caccia tutto il giorno Michelino e i fratelli, e immediatamente quei foglietti, cui fin allora nessuno di loro aveva mai badato, diventarono un ambito bottino. Ci fu un periodo di rivalità tra le varie bande di monelli, in cui la raccolta in una zona piuttosto che in un'altra fu motivo di contese e scaramucce. Poi, in seguito a una serie di scambi e trattative, ci si mise d'accordo: una sistemazione organizzata della caccia era piú redditizia d'un saccheggio disordinato. E la raccolta dei foglietti diventò tanto metodica, che appena l'omino del Candofior o del Risciaquick passava a fare il giro dei portoni, il suo percorso era spiato e pedinato passo per passo, ed il materiale appena distribuito era subito requisito dai monelli.

A comandare le operazioni, si capisce, erano sempre Filippetto, Pietruccio e Michelino, perché la prima idea l'avevano avuta loro. Riuscirono perfino a convincere gli altri ragazzi che i tagliandi erano patrimonio comune, e si doveva conservarli tutti insieme.
– Come in una banca! – precisò Pietruccio.

– Siamo padroni d'una lavanderia o d'una banca? – chiese Michelino.

– Comunque sia, siamo milionari!

I ragazzi non dormivano piú dall'eccitazione e facevano progetti per il futuro:

– Basta che riscuotiamo tutti questi campioni e metteremo insieme quantità immense di detersivo.

– Dove lo metteremo?

– Dobbiamo affittare un magazzino!

– Perché non un bastimento?

La pubblicità, come i fiori e i frutti, va a stagioni. Dopo qualche settimana, la stagione dei detersivi finí; nelle cassette si trovavano solo avvisi di callifughi.

– Ci mettiamo a raccogliere anche questi? – propose qualcuno. Ma prevalse l'idea di dedicarsi subito alla riscossione delle ricchezze accumulate in detersivi. Si trattava d'andare nei negozi prescritti, a farsi dare un campione per ogni tagliando: ma questa nuova fase del loro piano, in apparenza semplicissima, si rivelò molto piú lunga e complicata della prima.

Le operazioni andavano condotte in ordine sparso: un ragazzo per volta in un negozio per volta. Si potevano presentare anche tre o quattro tagliandi insieme, purché di marche diverse, e se i commessi volevano dare solo un campione d'una marca e nient'altro, bisognava dire: «La mia mamma li vuol provare tutti per vedere qual è meglio».

Le cose si complicavano quando, come succedeva in molti negozi, il campione gratis lo davano solo a chi faceva degli acquisti; mai le mamme avevano visto i ragazzi tanto ansiosi d'andare a far commissioni in drogheria.

Insomma, la trasformazione dei buoni in merce andava per le lunghe e richiedeva spese supplementari perché le commissioni con i soldi delle madri erano poche e le drogherie da perlustrare erano molte. Per procurarsi dei fondi non c'era altro mezzo che attaccare subito la terza fase del piano, cioè la vendita del detersivo già riscosso.

Decisero d'andare a venderlo per le case, suonando i campanelli. – Signora! Le interessa? Bucato perfetto! – e porgevano la scatola di Risciaquick o la bustina di Blancasol.

– Sí, sí, datemi, grazie, – diceva qualcuna, e appena preso il campione, chiudeva loro la porta in faccia.

– Come? E pagare? – e tempestavano di pugni la porta.

– Pagare? Non è gratis? Andate via, monelli!

Proprio in quei giorni, infatti, stavano passando casa per casa incaricati delle varie marche a depositare campioni gratis: era una nuova offensiva pubblicitaria intrapresa da tutto il ramo detersivi, vista poco fruttuosa la campagna dei tagliandi omaggio.

Casa Marcovaldo sembrava il magazzino d'una drogheria, piena com'era di prodotti Candofior, Limpialin, Lavolux; ma da tutta questa quantità di merce non c'era da tirar fuori neanche un soldo; era roba che si regala, come l'acqua delle fontane.

Naturalmente, tra gli incaricati delle ditte non tardò a spargersi la voce che certi ragazzi stavano facendo il loro stesso giro porta per porta, vendendo gli stessi prodotti che loro pregavano d'accettare gratis. Nel mondo del commercio sono frequenti le ondate di pessimismo: si cominciò a dire che mentre a loro che li regalavano la gente rispondeva che non sapeva cosa farsene di detersivi, da quelli che li facevano pagare, invece, li compravano. Si riunirono gli uffici-studi delle varie ditte, furono consultati specialisti di « ricerca di mercato »[1]: la conclusione cui si giunse fu che una concorrenza cosí sleale poteva esser fatta solo da ricettatori[2] di merce rubata. La polizia, dietro regolare denuncia contro ignoti, cominciò a battere il quartiere in cerca dei ladri e del nascondiglio della refurtiva.

Da un momento all'altro il detersivo diventò pericoloso come dinamite. Marcovaldo si spaventò: – Non voglio piú neanche un grammo di queste polverine in casa mia! – Ma non si sapeva dove metterlo, in casa non lo voleva nessuno. Fu deciso che i bambini andassero a buttarlo tutto in fiume.

Era prima dell'alba; sul ponte arrivò un carretto tirato da Pietruccio e spinto dai suoi fratelli, carico di

1. La « ricerca di mercato » è lo studio compiuto per conto d'una industria, che tende a sapere chi siano i consumatori d'un dato prodotto, che cosa effettivamente desiderino e come si possa influire sui loro desideri. Tali studi sono compiuti da organizzazioni apposite o da speciali uffici delle grandi aziende.
2. Coloro che comprano dai ladri merce rubata.

scatole di Saponalba e Lavolux, poi un altro carretto uguale tirato da Uguccione, il figlio della portinaia di fronte, e altri, altri ancora. In mezzo al ponte si fermarono, lasciarono passare un ciclista che si voltava a curiosare, poi, – Via! – Michelino cominciò il lancio delle scatole nel fiume.

– Stupido! Non vedi che galleggiano? – gridò Filippetto. – Bisogna rovesciare nel fiume la polvere, non la scatola!

E dalle scatole aperte una per una, calava soffice una nuvola bianca, si posava sulla corrente che pareva l'assorbisse, ricompariva in un pullulare di minute bollicine, poi sembrava andare a fondo. Cosí va bene! – e i ragazzi continuavano a scaricarne miriagrammi e miriagrammi.

– Attenzione, laggiú! – gridò Michelino, e indicò a valle.

Dopo il ponte c'era la rapida[1]. Dove la corrente imboccava la discesa, le bollicine non si vedevano piú; tornavano a saltar fuori piú sotto, ma adesso erano diventate grosse bolle che si gonfiavano spingendosi l'un l'altra dal basso, un'onda di saponata che s'alzava, s'ingigantiva, già era alta quanto la rapida, una schiuma biancheggiante come la ciotola d'un barbiere rimestata dal pennello. Pareva che tutte quelle polverine di marche concorrenti si fossero messe di puntiglio a dar prova della loro effervescenza: il fiume traboccava di saponata nelle banchine, e i pescatori, che alle prime luci erano già con gli stivali a mollo, tiravano su le lenze e scappavano.

Per l'aria mattutina corse un filo di vento. Un grappolo di bolle si staccò dalla superficie dell'acqua, e volava volava via leggero. Era l'alba e le bolle si colo-

---

1. Cfr. la nota 2 a p. 46.

ravano di rosa. I bambini le vedevano passare alte sopra il loro capo e gridavano: – Oooo...

Le bolle volavano seguendo gli invisibili binari delle correnti d'aria sulla città, imboccavano le vie all'altezza dei tetti, sempre salvandosi dallo sfiorare spigoli e grondaie. Ora la compattezza del grappolo s'era dissolta: le bolle una prima una poi erano volate per conto loro, e tenendo ognuna una rotta diversa per altitudine e speditezza e tracciato, vagavano a mezz'aria. S'erano, si sarebbe detto, moltiplicate; anzi: era cosí davvero, perché il fiume continuava a traboccare di schiuma come un bricco di latte al fuoco. E il vento, il vento levava in alto bave e gale e cumuli[1] che s'allungavano in ghirlande iridate (i raggi del sole obliquo, scavalcati i tetti, avevano ormai preso possesso della città e del fiume), e invadevano il cielo sopra i fili e le antenne.

Ombre scure d'operai correvano alle fabbriche sui ciclomotori scoppiettanti e lo sciame verderosazzurro librato su di loro li seguiva come se ognuno di loro si tirasse dietro un grappolo di palloncini legati al manubrio con un lungo filo.

Fu da un tram che se ne accorsero: – Che guardino! Ehi, che guardino! Cos'è che c'è là in cima?[2] –. Il tramviere fermò e scese: scesero tutti i passeggeri e si misero a guardare in cielo, si fermavano le bici e i ciclomotori e le auto e i giornalai e i fornai e tutti i passanti mattinieri e tra loro Marcovaldo che stava andando a lavorare, e tutti si misero a naso in su seguendo il volo delle bolle di sapone.

– Non sarà una roba atomica? – chiese una vecchia,

---

1. La schiuma sollevata dal vento si dispone in forma di filo sottile (*bava*), di trina o merletto (*gala*), o di nuvola massiccia e arrotondata (*cumulo*).

2. Queste battute sono tradotte letteralmente dal piemontese all'italiano.

e la paura corse nella gente, e chi vedeva una bolla scendergli addosso scappava gridando: – È radioattiva! [1].

Ma le bolle continuavano il loro sfarfallio, iridate e fragili e leggere, che bastava un soffio, e piff! non c'eran piú; e presto nella gente l'allarme si spense cosí come s'era acceso. – Macché radioattive! È sapone! Bolle di sapone come quelle dei bambini! – e una frenetica allegria s'impadroní di loro. – Guarda quella! E quella! E quella! – perché ne vedevano volare delle enormi, di dimensioni incredibili, e allo sfiorarsi tra loro queste bolle si fondevano, diventavano doppie e triple, e il cielo i tetti i grattacieli attraverso queste cupole trasparenti apparivano di forme e colori che non s'erano mai visti.

Dalle loro ciminiere, le fabbriche avevano cominciato a buttar fuori fumo nero come ogni mattino. E gli sciami di bolle s'incontravano con le nubi di fumo e il cielo era diviso tra correnti di fumo nero e correnti di schiuma iridata, e in qualche mulinello di vento pareva che lottassero, e per un momento, un momento solo, parve che la cima dei fumaioli fosse conquistata dalle bolle, ma presto ci fu una tale mescolanza – tra il fumo che imprigionava l'arcobaleno della schiuma e le sfere di saponata che imprigionavano un velo di granelli di fuliggine –, da non capirci piú niente. Finché a un certo punto Marcovaldo cerca cerca nel cielo non riusciva a vedere piú le bolle ma solo fumo fumo fumo.

1. La nostra epoca è dominata dal terrore dell'inquinamento dell'aria per la radioattività prodotta dagli scoppi atomici.

La popolazione per undici mesi all'anno amava la città che guai toccargliela: i grattacieli, i distributori di sigarette, i cinema a schermo panoramico, tutti motivi indiscutibili di continua attrattiva. L'unico abitante cui non si poteva attribuire questo sentimento con certezza era Marcovaldo; ma quel che pensava lui – primo – era difficile saperlo data la scarsa sua comunicativa, e – secondo – contava cosí poco che comunque era lo stesso.

A un certo punto dell'anno, cominciava il mese d'agosto. Ed ecco: s'assisteva a un cambiamento di sentimenti generale. Alla città non voleva bene piú nessuno: gli stessi grattacieli e sottopassaggi pedonali e autoparcheggi fino a ieri tanto amati erano diventati antipatici e irritanti. La popolazione non desiderava altro che andarsene al piú presto: e cosí a furia di riempire treni e ingorgare autostrade, al 15 del mese se ne erano andati proprio tutti. Tranne uno. Marcovaldo era l'unico abitante a non lasciare la città.

Uscí a camminare per il centro, la mattina. S'aprivano larghe e interminabili le vie, vuote di macchine e deserte; le facciate delle case, dalla siepe grigia delle saracinesche abbassate alle infinite stecche delle persiane, erano chiuse come spalti [1]. Per tutto l'anno Marcovaldo aveva sognato di poter usare le strade come

1. Bastioni di fortificazioni.

strade, cioè camminandoci nel mezzo: ora poteva farlo, e poteva anche passare i semafori col rosso, e attraversare in diagonale, e fermarsi nel centro delle piazze. Ma capí che il piacere non era tanto il fare queste cose insolite, quanto il vedere tutto in un altro modo: le vie come fondovalli, o letti di fiumi in secca, le case come blocchi di montagne scoscese, o pareti di scogliera.

Certo, la mancanza di qualcosa saltava agli occhi: ma non della fila di macchine parcheggiate, o dell'ingorgo ai crocevia, o del flusso di folla sulla porta del grande magazzino, o dell'isolotto di gente ferma in attesa del tram; ciò che mancava per colmare gli spazi vuoti e incurvare le superfici squadrate, era magari un'alluvione per lo scoppio delle condutture dell'acqua, o un'invasione di radici degli alberi del viale che spaccassero la pavimentazione. Lo sguardo di Marcovaldo scrutava intorno cercando l'affiorare d'una città diversa, una città di cortecce e squame e grumi e nervature[1] sotto la città di vernice e catrame e vetro e intonaco. Ed ecco che il caseggiato davanti al quale passava tutti i giorni gli si rivelava essere in realtà una pietraia di grigia arenaria[2] porosa; la staccionata d'un cantiere era d'assi di pino ancora fresco con nodi che parevano gemme; sull'insegna del grande negozio di tessuti riposava una schiera di farfalline di tarme[3], addormentate.

Si sarebbe detto che, appena disertata dagli uomini, la città fosse caduta in balía d'abitatori fino a ieri nascosti, che ora prendevano il sopravvento: la passeggiata di Marcovaldo seguiva per un poco l'itinerario

---

1. Quattro sostantivi per esprimere la vita vegetale (*cortecce*, *nervature* delle foglie) o animale (*squame*) o piú genericamente la materia organica (*grumi*).
2. Roccia costituita da sedimenti di sabbia cementata.
3. Tignole.

d'una fila di formiche, poi si lasciava sviare dal volo d'uno scarabeo smarrito, poi indugiava accompagnando il sinuoso incedere d'un lombrico. Non erano solo gli animali a invadere il campo: Marcovaldo scopriva che alle edicole dei giornali, sul lato nord, si forma un sottile strato di muffa, che gli alberelli in vaso davanti ai ristoranti si sforzano di spingere le loro foglie fuori dalla cornice d'ombra del marciapiede. Ma esisteva ancora la città? Quell'agglomerato di materie sintetiche che rinserrava le giornate di Marcovaldo, ora si rivelava un mosaico di pietre disparate, ognuna ben distinta dalle altre alla vista e al contatto, per durezza e calore e consistenza.

Cosí, dimenticando la funzione dei marciapiedi e delle strisce bianche, Marcovaldo percorreva le vie con zig-zag da farfalla, quand'ecco che il radiatore d'una « spider »[1] lanciata a cento all'ora gli arrivò a un millimetro da un'anca. Metà per lo spavento, metà per lo spostamento d'aria, Marcovaldo balzò su e ricadde tramortito.

La macchina, con un gran gnaulío, frenò girando quasi su se stessa. Ne saltò fuori un gruppo di giovanotti scamiciati. « Qui mi prendono a botte, – pensò Marcovaldo, – perché camminavo in mezzo alla via! »

I giovanotti erano armati di strani arnesi. – Finalmente l'abbiamo trovato! Finalmente! – dicevano, circondando Marcovaldo. – Ecco dunque, – disse uno di loro reggendo un bastoncino color d'argento[2] vicino alla bocca, – l'unico abitante rimasto in città il giorno di ferragosto. Mi scusi, signore, vuol dire le sue impressioni ai telespettatori? – e gli cacciò il bastoncino argentato sotto il naso.

Era scoppiato un bagliore accecante, faceva caldo

1. Tipo di carrozzeria d'automobile scoperta a due posti. La parola in inglese significa: ragno.
2. Si tratta, come vedremo subito, d'un microfono.

come in un forno, e Marcovaldo stava per svenire. Gli avevano puntato contro riflettori, « telecamere » ', microfoni. Balbettò qualcosa: a ogni tre sillabe che lui diceva, sopravveniva quel giovanotto, torcendo il microfono verso di sé: – Ah, dunque, lei vuol dire... – e attaccava a parlare per dieci minuti.

Insomma, gli fecero l'intervista.

– E adesso, posso andare?

– Ma sí, certo, la ringraziamo moltissimo... Anzi, se lei non avesse altro da fare... e avesse voglia di guadagnare qualche biglietto da mille... non le dispiacerebbe restare qui a darci una mano?

Tutta la piazza era sottosopra: furgoni, carri attrezzi, macchine da presa col carrello, accumulatori, impianti di lampade, squadre di uomini in tuta che ciondolavano da una parte all'altra tutti sudati.

– Eccola, è arrivata! è arrivata! – Da una fuoriserie scoperta, scese una stella del cinema.

– Sotto, ragazzi, possiamo cominciare la ripresa della fontana!

Il regista del « teleservizio » *Follie di Ferragosto* cominciò a dar ordini per riprendere il tuffo della famosa diva nella principale fontana cittadina.

Al manovale Marcovaldo avevano dato da spostare per la piazza un padellone di riflettore dal pesante piedestallo. La gran piazza ora ronzava di macchinari e sfrigolii di lampade, risuonava di colpi di martello sulle improvvisate impalcature metalliche e d'ordini urlati... Agli occhi di Marcovaldo, accecato e stordito, la città di tutti i giorni aveva ripreso il posto di quell'altra intravista solo per un momento, o forse solamente sognata.

1. Macchine da presa per la televisione. Il termine *camera* in inglese è usato per: macchina fotografica o macchina da presa cinematografica.

La città dei gatti e la città degli uomini stanno l'una dentro l'altra, ma non sono la medesima città. Pochi gatti ricordano il tempo in cui non c'era differenza: le strade e le piazze degli uomini erano anche strade e piazze dei gatti, e i prati, e i cortili, e i balconi, e le fontane: si viveva in uno spazio largo e vario. Ma già ormai da più generazioni i felini domestici sono prigionieri di una città inabitabile: le vie ininterrottamente sono corse dal traffico mortale delle macchine schiacciagatti [1]; in ogni metro quadrato di terreno dove s'apriva un giardino o un'area sgombra o i ruderi d'una vecchia demolizione ora torreggiano condomini [2], caseggiati popolari, grattacieli·nuovi fiammanti; ogni andito è stipato dalle auto in parcheggio; i cortili a uno a uno vengono ricoperti d'una soletta [3] e trasformati in garages o in cinema o in depositi-merci o in officine. E dove s'estendeva un altopiano ondeggiante di tetti bassi, cimase, altane, serbatoi d'acqua, balconi, lucernari [4], tettoie di lamiera, ora s'innalza il sopraelevamento [5] generale d'ogni vano sopraelevabile:

1. Così l'autore chiama le automobili, ponendosi dal punto di vista dei gatti.
2. Caseggiati ad appartamenti di proprietari diversi. Sono in genere abitazioni di livello sociale piuttosto alto, e quindi contrapposte a « caseggiati popolari ».
3. Struttura di copertura, oggi generalmente in cemento armato.
4. Cfr. la nota 1 a p. 76.
5. La costruzione di uno o più piani sopra un edificio preesistente.

spariscono i dislivelli intermedi tra l'infimo suolo stradale e l'eccelso cielo dei super-attici [1]; il gatto delle nuove nidiate cerca invano l'itinerario dei padri, l'appiglio per il soffice salto dalla balaustra al cornicione alla grondaia, per la scattante arrampicata sulle tegole.

Ma in questa città verticale, in questa città compressa dove tutti i vuoti tendono a riempirsi e ogni blocco di cemento a compenetrarsi con altri blocchi di cemento, si apre una specie di controcittà, di città negativa, che consiste di fette vuote tra muro e muro, di distanze minime prescritte dal regolamento edilizio tra due costruzioni [2], tra retro e retro di due costruzioni; è una città di intercapedini, pozzi di luce, canali d'aerazione, passaggi carrabili, piazzole interne [3], accessi agli scantinati, come una rete di canali secchi su un pianeta d'intonaco e catrame [4], ed è attraverso questa rete che rasente i muri corre ancora l'antico popolo dei gatti.

Marcovaldo, certe volte, per passare il tempo, seguiva un gatto. Era l'intervallo del lavoro tra la mezza e le tre, quando, tranne Marcovaldo, tutto il personale andava a casa a mangiare, e lui – che si portava la colazione nella borsa – apparecchiava tra le casse

1. Il piano costruito sopra la cornice di coronamento di un fabbricato, arretrato rispetto alla facciata e circondato da un terrazzo.
2. Per costruire un edificio in prossimità di un altro, bisogna rispettare certe distanze, stabilite dalla legge, o da regolamenti comunali.
3. Una serie di termini dell'edilizia: *intercapedine* è un cunicolo costruito all'esterno delle parti interrate d'un edificio per impedire l'infiltrarsi dell'umidità; *pozzo di luce* è una cavità all'interno di un edificio, che serve a illuminare le stanze; *canale d'aerazione* è una cavità ancora piú stretta che serve solo per la ventilazione; *passaggio carrabile* è un qualsiasi ingresso o passaggio dove possano entrare veicoli; per *piazzola interna* s'intende qui una superficie libera dove una automobile possa fare manovra.
4. L'immagine del pianeta è tratta dai famosi e misteriosi «canali» di Marte.

del magazzino, masticava il suo boccone, fumava un mezzo toscano e girellava lí intorno, solo e ozioso, aspettando la ripresa. In quelle ore, un gatto che facesse capolino da una finestra era sempre una compagnia benvenuta, e una guida per nuove esplorazioni. Aveva fatto amicizia con un soriano, ben pasciuto, fiocco celeste al collo, certamente alloggiato presso qualche famiglia benestante. Questo soriano aveva in comune con Marcovaldo l'abitudine della passeggiata di primo dopopranzo: ne nacque naturalmente un'amicizia.

Seguendo l'amico soriano, Marcovaldo aveva preso a guardare i posti come attraverso i tondi occhi d'un micio e anche se erano i soliti dintorni della sua ditta li vedeva in una luce diversa, scenari di storie gattesche, con collegamenti praticabili solo da zampe felpate e leggere. Sebbene il quartiere dall'esterno sembrasse povero di gatti, ogni giorno nei suoi giri Marcovaldo faceva conoscenza con qualche muso nuovo, e bastava un gnaulío, uno sbuffo, un tendersi del pelo su una schiena arcuata per fargli intuire legami e intrighi e rivalità tra loro. In quei momenti credeva già d'essere entrato nel segreto della società dei felini: ed ecco si sentiva scrutato da pupille che diventavano fessure, sorvegliato dalle antenne dei baffi tesi, e tutti i gatti attorno a lui sedevano impenetrabili come sfingi, il triangolo rosa del naso convergente sul triangolo nero delle labbra, e solo a muoversi era il vertice delle orecchie, con un guizzo vibrante come un radar. Si giungeva al fondo d'una stretta intercapedine, tra squallidi muri ciechi: e guardandosi intorno Marcovaldo vedeva che tutti i gatti che l'avevano guidato fin là erano spariti, tutt'insieme, non si capiva da che parte, anche il suo amico soriano, lasciandolo solo. Il loro regno aveva territori cerimonie usanze che non gli era concesso di scoprire.

In compenso, dalla città dei gatti s'aprivano spiragli insospettati sulla città degli uomini: e un giorno fu proprio il soriano a guidarlo alla scoperta del grande Ristorante Biarritz.

Chi voleva vedere il Ristorante Biarritz non aveva che da assumere la statura d'un gatto, cioè stendersi carponi. Gatto e uomo in questo modo camminavano intorno a una specie di cupola, ai cui piedi davano certi bassi finestrini rettangolari. Seguendo l'esempio del soriano, Marcovaldo guardò giú. Erano lucernari con il vetro aperto a tagliola da cui prendeva aria e luce il lussuoso salone. Al suono di violini tzigani, volteggiavano pernici e quaglie dorate su vassoi d'argento tenuti in equilibrio dalle dita biancoguantate dei camerieri in frac. O, piú precisamente [1], sopra le pernici e i fagiani volteggiavano i vassoi, e sopra i vassoi i guanti bianchi, e sospeso in bilico sulle scarpe di vernice dei camerieri il lucido parquet [2], da cui pendevano palme nane in vaso e tovaglie e cristallerie e secchi come campane con una bottiglia di champagne per batacchio: tutto capovolto perché Marcovaldo per timore d'essere visto non voleva sporgere la testa dentro il finestrino e si limitava a guardare la sala rispecchiata all'incontrario nel vetro obliquo.

Ma piú che i finestrini della sala erano quelli sulle cucine a interessare il gatto: guardando nella sala si vedeva di lontano e come trasfigurato ciò che nelle cucine appariva – ben concreto e a portata di zampa – come un uccello spennato o un pesce fresco. Ed era appunto dalla parte delle cucine che il soriano voleva guidare Marcovaldo, o per un gesto d'amicizia disinteressata o perché piuttosto sperava nell'aiuto del-

---

1. La descrizione della sala viene ora fatta a rovescio, come è vista riflessa nello specchio.
2. Pavimento di legno; l'uso del termine francese si intona con lo stile del locale, lussuosamente antiquato.

l'uomo per una delle sue incursioni. Marcovaldo invece non voleva staccarsi dal suo belvedere sul salone: dapprincipio come affascinato dalla gala dell'ambiente, e poi perché là qualcosa aveva calamitato la sua attenzione. Tanto che, vincendo il timore d'esser visto, faceva continuamente capolino a testa in giú.

Nel mezzo della sala, proprio sotto quel finestrino, c'era una piccola peschiera di vetro, una specie d'acquario, in cui nuotavano delle grosse trote[1]. S'avvicinò un cliente di riguardo, con un cranio calvo e lucido, nerovestito e con la barba nera. Lo seguiva un vecchio cameriere in frac che teneva in mano una reticella come se andasse per farfalle. Il signore in nero guardò le trote con aria grave e attenta; poi alzò una mano e con un lento gesto solenne ne indicò una. Il cameriere immerse la reticella nella peschiera, inseguí la trota designata, la catturò, si diresse alle cucine, reggendo davanti a sé come una lancia la rete in cui si dibatteva il pesce. Il signore in nero, grave come un magistrato che ha comminato una sentenza capitale, andò a sedersi, in attesa del ritorno della trota, fritta « alla mugnaia ».

« Se trovo il modo di gettare una lenza di quassú e far abboccare una di queste trote, – pensò Marcovaldo, – non potrò essere accusato di furto, ma tutt'al piú di pesca non autorizzata ». E, senza dar retta ai miagolii che lo chiamavano dalla parte della cucina, andò a cercare i suoi arnesi di pesca.

Nessuno nel salone affollato del Biarritz vide il sottile lungo filo, armato d'amo e d'esca, calare giú giú fin dentro alla peschiera. L'esca la videro i pesci, e si gettarono. Nella mischia una trota riuscí a mordere il verme: e subito prese a salire, a salire, uscí dall'acqua,

1. In certi ristoranti, pesci o gamberi o aragoste vengono tenuti vivi in una vasca di vetro da cui vengono estratti al momento d'essere cucinati, su ordinazione del cliente.

guizzando argentea, volò in alto, sopra le tavole imbandite e i carrelli degli antipasti, sopra la fiamma azzurra dei fornelli per le « crêpes Suzette » [1], e sparí nel cielo del finestrino.

Marcovaldo aveva tirato la canna con lo scatto e l'energia del provetto pescatore, tanto da far finire il pesce alle sue spalle. La trota aveva appena toccato terra quando il gatto si slanciò. Quel poco di vita che le restava la perse tra i denti del soriano. Marcovaldo, che in quel momento aveva abbandonato la lenza per correre ad acchiappare il pesce, se lo vide portar via di sotto il naso, con l'amo e tutto. Fu lesto a mettere un piede sulla canna, ma lo strappo era stato cosí forte che all'uomo restò solo la canna, mentre il soriano scappava col pesce che si tirava dietro il filo della lenza. Traditore d'un micio! Era sparito.

Ma stavolta non gli scappava: c'era quel lungo filo che lo seguiva e indicava la via che aveva preso. Pur avendo perso di vista il gatto, Marcovaldo inseguiva l'estremità del filo: ecco che scorreva su per un muro, scavalcava un poggiolo, serpeggiava per un portone, veniva inghiottito in uno scantinato... Marcovaldo, inoltrandosi in luoghi sempre piú gatteschi, arrampicandosi su tettoie, scavalcando ringhiere, riusciva sempre a cogliere con lo sguardo – magari un secondo prima che sparisse – quella mobile traccia che gli indicava il cammino preso dal ladro.

Ora il filo si snoda per il marciapiede d'una via, in mezzo al traffico, e Marcovaldo correndogli dietro è ormai quasi arrivato ad afferrarlo. Si butta a pancia a terra; ecco, l'acchiappa! Era riuscito ad afferrare il capo del filo prima che sgusciasse tra le sbarre di un cancello.

Dietro un cancello mezz'arrugginito e due pezzi di

1. Tipo di frittata o *omelette* che si serve *flambée*, cioè alla fiamma.

muro rincalzati da piante rampicanti, c'era un piccolo giardino incolto, con in fondo una palazzina dall'aria abbandonata. Un tappeto di foglie secche copriva il viale, e foglie secche giacevano dappertutto sotto i rami dei due platani, formando addirittura delle piccole montagne sulle aiole. Uno strato di foglie galleggiava nell'acqua verde d'una vasca. Intorno s'elevavano edifici enormi, grattacieli con migliaia di finestre, come tanti occhi puntati con disapprovazione su quel quadratino di due alberi, poche tegole e tante foglie gialle, sopravvissuto nel bel mezzo d'un quartiere di gran traffico.

E in questo giardino, appollaiati sui capitelli e sulle balaustre, distesi sulle foglie secche delle aiole, arrampicati al tronco degli alberi o alle grondaie, fermi sulle quattro zampe e con la coda a punto interrogativo, seduti a lavarsi il muso, erano gatti tigrati, gatti neri, gatti bianchi, gatti pezzati, soriani, angora, persiani, gatti di famiglia e gatti randagi, gatti profumati e gatti tignosi. Marcovaldo capí d'essere finalmente giunto nel cuore del regno dei gatti, nella loro isola segreta. E, dall'emozione, quasi s'era dimenticato del suo pesce.

Era rimasto, il pesce, appeso per la lenza al ramo d'un albero, fuori portata dei salti dei gatti; doveva essere caduto dalla bocca del suo rapitore in qualche maldestra mossa forse per difenderlo dagli altri, forse per sfoggiarlo come una preda straordinaria; il filo s'era impigliato e Marcovaldo per quanti strattoni desse non riusciva a liberarlo. Una lotta furiosa s'era intanto accesa tra i gatti, per raggiungere questo pesce irraggiungibile, ossia per il diritto di tentare di raggiungerlo. Ognuno voleva impedire agli altri di saltare: si lanciavano l'uno contro l'altro, si azzuffavano per aria, roteavano avvinghiati, con sibili, lamenti, sbuffi, atroci gnaulii, e finalmente una battaglia generale si scatenò in un turbine di foglie secche crepitanti.

Marcovaldo, dopo molti strappi inutili, ora sentiva che la lenza s'era liberata, ma si guardava bene dal tirare: la trota sarebbe cascata proprio in mezzo a quella mischia di felini inferociti.

Fu in quel momento che dall'alto dei muri del giardino prese a cadere una strana pioggia: resche, teste di pesce, code, e anche pezzi di polmone e coratella. Subito i gatti si distrassero dalla trota appesa e si gettarono sui nuovi bocconi. Per Marcovaldo, era il momento buono di tirare il filo e recuperare il suo pesce. Ma, prima che avesse avuto la prontezza di muoversi, da una persiana del villino uscirono due mani gialle e secche: una brandiva una forbice, l'altra una padella. La mano con la forbice s'alza sopra la trota, la mano con la padella si sporge sotto. La forbice taglia il filo, la trota cade nella padella, mani forbice padella si ritirano, la persiana si chiude: tutto nello spazio d'un secondo. Marcovaldo non capisce piú niente.

– Anche lei è amico dei gatti? – Una voce alle sue spalle lo fece voltare. Era circondato di donnette, certune vecchie vecchie, con in testa cappelli fuori moda, altre piú giovani, con l'aria di zitelle, e tutte portavano in mano o nella borsa cartocci con avanzi di carne o di pesce, e certune anche un tegamino con del latte. – Mi aiuta a buttare questo pacchetto di là del cancello, per quelle povere bestiole?

Tutte le amiche dei gatti convenivano a quell'ora attorno al giardino delle foglie secche per portare da mangiare ai loro protetti.

– Ma, ditemi, perché stanno tutti qua, questi gatti? – s'informò Marcovaldo.

– E dove vuole che vadano? Solo questo giardino, c'è rimasto! Vengono qui i gatti anche dagli altri quartieri, per un raggio di chilometri e chilometri...

– E anche gli uccelli, – interloquí un'altra, – su questi pochi alberi, si son ridotti a viverci a centinaia e centinaia...

– E le rane, stanno tutte in quella vasca, e la notte gracidano, gracidano... Si sentono anche dal settimo piano delle case intorno...

– Ma di chi è, questa villetta? – chiese Marcovaldo. Adesso, davanti al cancello non c'erano soltanto quelle donnette ma anche altra gente: il benzinaio di fronte, i garzoni di un'officina, il postino, il verduriere, qualche passante. E tutti, donne e uomini, non si fecero pregare a dargli risposta: ognuno voleva dire la sua, come sempre quando si tratta d'un argomento misterioso e controverso.

– È d'una marchesa, che ci abita, ma non si vede mai...

– Le hanno offerto milioni e milioni, le imprese edilizie, per questo pezzettino di terreno, ma non vuole vendere...

– Cosa volete che se ne faccia, dei milioni, una vecchietta sola al mondo? Preferisce tenersi la sua casa, anche se va a pezzi, pur di non essere obbligata a traslocare...

– È l'unica superficie non costruita nel centro della città... Aumenta di valore ogni anno... Le hanno fatto delle offerte...

– Offerte soltanto? Anche intimidazioni, minacce, persecuzioni... Sapeste, gli impresari!

– E lei resiste, resiste, da anni...

– È una santa... Senza di lei dove andrebbero quelle povere bestiole?

– Figuriamoci se le importa qualcosa delle bestiole, a quella vecchia spilorcia! L'avete mai vista dar loro qualcosa da mangiare?

– Ma cosa volete che dia ai gatti, se non ha nien-

te per sé? È l'ultima discendente d'una famiglia de-
caduta!

– Li odia, i gatti! L'ho vista rincorrerli a ombrel-
late!

– Perché le calpestavano i fiori delle aiole!

– Ma di che fiori parlate? Questo giardino io l'ho
sempre visto pieno d'erbacce!

Marcovaldo capí che sulla vecchia marchesa le opinioni erano profondamente divise: chi la vedeva come una creatura angelica, chi come un'avara e un'e-
goista.

– E anche con gli uccellini: mai che dia loro una
briciola di pane!

– Dà l'ospitalità: vi sembra poco?

– Tal quale come le zanzare, volete dire. Vengono
tutte di qua, da quella vasca. D'estate le zanzare ci
mangiano vivi, tutto per colpa di quella marchesa!

– E i topi? È una miniera di topi, questa villa. Sotto
le foglie secche hanno le loro tane, e di notte escono...

– Per quel che riguarda i topi, ci pensano i gatti...

– Oh, i vostri gatti! Se dobbiamo fidarci di loro...

– Perché? Cos'ha da dire contro i gatti?

Qui la discussione degenerò in una lite generale.

– Dovrebbe intervenire l'autorità: sequestrare la
villa! – gridava uno.

– Con che diritto? – protestava un altro.

– In un quartiere moderno come il nostro, una to-
paia cosí... Dovrebb'essere proibito...

– Ma se io il mio appartamento l'ho scelto proprio
perché ha la vista su questo poco di verde...

– Macché verde! Pensate al bel grattacielo che potrebbero farci!

Anche Marcovaldo avrebbe avuto da dire la sua, ma
non trovava il momento adatto. Finalmente, tutto
d'un fiato, esclamò: – La marchesa mi ha rubato una
trota!

La notizia inaspettata diede nuovi argomenti ai nemici della vecchia, ma i difensori se ne servirono come d'una prova dell'indigenza in cui versava la sfortunata nobildonna. Gli uni e gli altri furono d'accordo sul fatto che Marcovaldo dovesse andare a bussare alla sua porta e a chiederle ragione.

Il cancello non si capiva se fosse chiuso a chiave o aperto: comunque, s'apriva spingendo, con un lamentoso cigolío. Marcovaldo si fece largo tra le foglie e i gatti, salí i gradini del portico, bussò forte all'uscio. A una finestra (la stessa da cui s'era affacciata la padella) si alzò lo scuro della persiana e in quell'angolo si vide un occhio rotondo e turchino, una ciocca dal colore indefinibile dei capelli tinti, e una mano secca secca. Una voce che diceva: – Chi è? Chi bussa? – arrivò insieme a una nuvola d'odore d'olio fritto.

– Io, signora marchesa, sarei quello della trota, – spiegò Marcovaldo, – non per disturbarla, era solo per dirle che la trota, nel caso lei non lo sapesse, quel gatto l'aveva rubata a me, che sarei quello che l'aveva pescata, tant'è vero che la lenza...

– I gatti, sempre i gatti! – fece la marchesa, nascosta dietro la persiana, con una voce acuta e un po' nasale. – Tutte le mie maledizioni vengono dai gatti! Nessuno sa cosa vuol dire! Prigioniera notte e giorno di quelle bestiacce! E con tutta l'immondizia che la gente butta da dietro i muri, per farmi dispetto!

– Ma la mia trota...

– La sua trota! Cosa vuole che ne sappia della sua trota! – e la voce della marchesa diventava quasi un grido, come volesse coprire lo sfrigolío d'olio in padella che usciva dalla finestra insieme all'odorino di pesce fritto. – Come posso capire qualcosa con tutto quel che mi piove in casa?

– Sí, ma la trota l'ha presa o non l'ha presa?

136

– Con tutti i danni che subisco per via dei gatti! Ah, vorrei proprio vedere! Io non rispondo di nulla! Dovessi dire io, quello che ho perso! Coi gatti che mi occupano da anni casa e giardino! La mia vita in balìa di queste bestie! Valli a trovare, i proprietari, per farti rifondere i danni! Danni? Una vita distrutta: prigioniera qui, senza poter muovere un passo!

– Ma, scusi, chi la obbliga a restare?

Dallo spiraglio della persiana appariva ora un occhio tondo e turchino, ora una bocca con due denti sporgenti; per un momento si vide tutto il viso e a Marcovaldo sembrò confusamente un muso di gatto.

– Loro, mi tengono prigioniera, loro, i gatti! Oh, se me ne andrei! Quanto darei per un appartamentino tutto mio, in una casa moderna, pulita! Ma non posso uscire... Mi seguono, si mettono di traverso ai miei passi, mi fanno inciampare! – La voce divenne un sussurro, come confidasse un segreto. – Hanno paura che venda il terreno... Non mi lasciano... non permettono... Quando vengono gli impresari a propormi un contratto, dovrebbe vederli, i gatti! Si mettono di mezzo, tirano fuori le unghie, hanno fatto scappare anche un notaio! Una volta avevo il contratto qui, stavo per firmare, e sono piombati dalla finestra, hanno rovesciato il calamaio, strappato tutti i fogli...

Marcovaldo si ricordò tutt'a un tratto dell'ora, del magazzino, del caporeparto. S'allontanò in punta di piedi sulle foglie secche, mentre la voce continuava a uscire di tra le stecche della persiana avvolta in quella nube come d'olio in padella: – Mi hanno fatto anche un graffio... Ho ancora il segno... Qui abbandonata in balìa di questi demonii...

Venne l'inverno. Una fioritura di fiocchi bianchi guarniva i rami e i capitelli e le code dei gatti. Sotto la neve le foglie secche si sfacevano in poltiglia. I gatti li si vedeva poco in giro, le amiche dei gatti meno ancora; i pacchetti di resche venivano consegnati solo al gatto che si presentava a domicilio. Nessuno, da un bel po', aveva piú visto la marchesa. Dal comignolo del villino non usciva piú fumo.

Un giorno di nevicata, nel giardino erano tornati tanti gatti come fosse primavera, e miagolavano come in una notte di luna. I vicini capirono che era successo qualcosa: andarono a bussare alla porta della marchesa. Non rispose: era morta.

A primavera, al posto del giardino un'impresa di costruzioni aveva impiantato un gran cantiere. Le scavatrici erano scese a gran profondità per far posto alle fondamenta, il cemento colava nelle armature di ferro, un'altissima gru porgeva sbarre agli operai che costruivano le incastellature. Ma come si faceva a lavorare? I gatti passeggiavano su tutte le impalcate, facevano cadere mattoni e secchi di calcina, s'azzuffavano in mezzo ai mucchi di sabbia. Quando s'andava per innalzare un'armatura si trovava un gatto appollaiato in cima che sbuffava inferocito. Mici piú sornioni s'arrampicavano sulle spalle dei muratori con l'aria di voler far le fusa e non c'era verso di scacciarli. E gli uccelli continuavano a fare il nido in tutti i tralicci, il casotto della gru sembrava una voliera... E non si poteva prendere un secchio d'acqua senza trovarlo pieno di ranocchi che gracidavano e saltavano...

Non c'è epoca dell'anno piú gentile e buona, per il mondo dell'industria e del commercio, che il Natale e le settimane precedenti. Sale dalle vie il tremulo suono delle zampogne; e le società anonime, fino a ieri freddamente intente a calcolare fatturato e dividendi [1], aprono il cuore agli affetti e al sorriso. L'unico pensiero dei Consigli d'amministrazione adesso è quello di dare gioia al prossimo, mandando doni accompagnati da messaggi d'augurio sia a ditte consorelle che a privati; ogni ditta si sente in dovere di comprare un grande stock di prodotti da una seconda ditta per fare i suoi regali alle altre ditte; le quali ditte a loro volta comprano da una ditta altri stock [2] di regali per le altre; le finestre aziendali restano illuminate fino a tardi, specialmente quelle del magazzino, dove il personale continua le ore straordinarie a imballare pacchi e casse; al di là dei vetri appannati, sui marciapiedi ricoperti da una crosta di gelo s'inoltrano gli zampognari, discesi da buie misteriose montagne, sostano ai crocicchi del centro, un po' abbagliati dalle troppe luci, dalle vetrine troppo adorne, e a capo chino dànno fiato ai loro strumenti; a quel suono tra gli uomini d'affari le grevi contese d'interessi si placano

1. Il «fatturato» è la merce venduta; il «dividendo» è la quota dell'utile netto dell'esercizio annuale d'una società per azioni, che spetta al possessore d'una azione.
2. Quantità di merci disponibili per la vendita.

e lasciano il posto ad una nuova gara: a chi presenta nel modo piú grazioso il dono piú cospicuo e originale.

Alla Sbav quell'anno l'Ufficio Relazioni Pubbliche propose che alle persone di maggior riguardo le strenne fossero recapitate a domicilio da un uomo vestito da Babbo Natale.

L'idea suscitò l'approvazione unanime dei dirigenti. Fu comprata un'acconciatura da Babbo Natale completa: barba bianca, berretto e pastrano rossi bordati di pelliccia, stivaloni. Si cominciò a provare a quale dei fattorini andava meglio, ma uno era troppo basso di statura e la barba gli toccava per terra, uno era troppo robusto e non gli entrava il cappotto, un altro troppo giovane, un altro invece troppo vecchio e non valeva la pena di truccarlo.

Mentre il capo dell'Ufficio Personale faceva chiamare altri possibili Babbi Natali dai vari reparti, i dirigenti radunati cercavano di sviluppare l'idea: l'Ufficio Relazioni Umane [1] voleva che anche il pacco-strenna alle maestranze fosse consegnato da Babbo Natale in una cerimonia collettiva; l'Ufficio Commerciale voleva fargli fare anche un giro dei negozi; l'Ufficio Pubblicità si preoccupava che facesse risaltare il nome della ditta, magari reggendo appesi a un filo quattro palloncini con le lettere S, B, A, V.

Tutti erano presi dall'atmosfera alacre e cordiale che si espandeva per la città festosa e produttiva; nulla è piú bello che sentire scorrere intorno il flusso dei

1. Nelle grandi aziende, oltre all'Ufficio Personale (che regola le assunzioni, i licenziamenti, le retribuzioni, gli avanzamenti di operai e impiegati), o come diramazione di questo, esiste un ufficio delle « Relazioni Umane » sul modello americano (Human Relations) che si incarica di far sí che il personale si trovi piú al suo agio possibile nell'ambiente di lavoro. Per Relazioni Pubbliche (Public Relations) si intendono i rapporti con persone al di fuori dell'azienda, quando essi non sono generiche forme di pubblicità, indirizzate al pubblico indifferenziato.

beni materiali e insieme del bene che ognuno vuole agli altri; e questo, questo soprattutto – come ci ricorda il suono, firulí firulí, delle zampogne –, è ciò che conta.

In magazzino, il bene – materiale e spirituale – passava per le mani di Marcovaldo in quanto merce da caricare e scaricare. E non solo caricando e scaricando egli prendeva parte alla festa generale, ma anche pensando che in fondo a quel labirinto di centinaia di migliaia di pacchi lo attendeva un pacco solo suo, preparatogli dall'Ufficio Relazioni Umane; e ancora di piú facendo il conto di quanto gli spettava a fine mese tra « tredicesima mensilità » e « ore straordinarie ». Con quei soldi, avrebbe potuto correre anche lui per i negozi, a comprare comprare comprare per regalare regalare regalare, come imponevano i piú sinceri sentimenti suoi e gli interessi generali dell'industria e del commercio.

Il capo dell'Ufficio Personale entrò in magazzino con una barba finta in mano: – Ehi, tu! – disse a Marcovaldo. – Prova un po' come stai con questa barba. Benissimo! Il Natale sei tu. Vieni di sopra, spicciati. Avrai un premio speciale se farai cinquanta consegne a domicilio al giorno.

Marcovaldo camuffato da Babbo Natale percorreva la città, sulla sella del motofurgoncino carico di pacchi involti in carta variopinta, legati con bei nastri e adorni di rametti di vischio e d'agrifoglio. La barba d'ovatta bianca gli faceva un po' di pizzicorino ma serviva a proteggergli la gola dall'aria.

La prima corsa la fece a casa sua, perché non resisteva alla tentazione di fare una sorpresa ai suoi bambini. « Dapprincipio, – pensava, – non mi riconosceranno. Chissà come rideranno, dopo! »

I bambini stavano giocando per la scala. Si voltarono appena. – Ciao papà.

Marcovaldo ci rimase male. – Mah... Non vedete come sono vestito?

– E come vuoi essere vestito? – disse Pietruccio. – Da Babbo Natale, no?

– E m'avete riconosciuto subito?

– Ci vuol tanto! Abbiamo riconosciuto anche il signor Sigismondo che era truccato meglio di te!

– E il cognato della portinaia!

– E il padre dei gemelli che stanno di fronte!

– E lo zio di Ernestina quella con le trecce!

– Tutti vestiti da Babbo Natale? – chiese Marcovaldo, e la delusione nella sua voce non era soltanto per la mancata sorpresa familiare, ma perché sentiva in qualche modo colpito il prestigio aziendale.

– Certo, tal quale come te, uffa, – risposero i bambini, – da Babbo Natale, al solito, con la barba finta, – e voltandogli le spalle, si rimisero a badare ai loro giochi.

Era capitato che agli Uffici Relazioni Pubbliche di molte ditte era venuta contemporaneamente la stessa idea; e avevano reclutato una gran quantità di persone, per lo piú disoccupati, pensionati, ambulanti, per vestirli col pastrano rosso e la barba di bambagia. I bambini dopo essersi divertiti le prime volte a riconoscere sotto quella mascheratura conoscenti e persone del quartiere, dopo un po' ci avevano fatto l'abitudine e non ci badavano piú.

Si sarebbe detto che il gioco cui erano intenti li appassionasse molto. S'erano radunati su un pianerottolo, seduti in cerchio. – Si può sapere cosa state complottando? – chiese Marcovaldo.

– Lasciaci in pace, papà, dobbiamo preparare i regali.

– Regali per chi?

– Per un bambino povero. Dobbiamo cercare un bambino povero e fargli dei regali.

– Ma chi ve l'ha detto?

– C'è nel libro di lettura.

Marcovaldo stava per dire: «Siete voi i bambini poveri!», ma durante quella settimana s'era talmente persuaso a considerarsi un abitante del Paese della Cuccagna, dove tutti compravano e se la godevano e si facevano regali, che non gli pareva buona educazione parlare di povertà, e preferí dichiarare: – Bambini poveri non ne esistono piú!

S'alzò Michelino e chiese: – È per questo, papà, che non ci porti regali?

Marcovaldo si sentí stringere il cuore. – Ora devo guadagnare degli straordinari, – disse in fretta, – e poi ve li porto.

– Li guadagni come? – chiese Filippetto.

– Portando dei regali, – fece Marcovaldo.

– A noi?

– No, ad altri.

– Perché non a noi? Faresti prima...

Marcovaldo cercò di spiegare: – Perché io non sono mica il Babbo Natale delle Relazioni Umane: io sono il Babbo Natale delle Relazioni Pubbliche [1]. Avete capito?

– No.

– Pazienza –. Ma siccome voleva in qualche modo farsi perdonare d'esser venuto a mani vuote, pensò di prendersi Michelino e portarselo dietro nel suo giro di consegne. – Se stai buono puoi venire a vedere tuo padre che porta i regali alla gente, – disse, inforcando la sella del motofurgoncino.

– Andiamo, forse troverò un bambino povero, – disse Michelino e saltò su, aggrappandosi alle spalle del padre.

1. Intendi: perché io sono stato incaricato di portare regali non ai dipendenti dell'azienda, ma a persone estranee all'azienda.

Per le vie della città Marcovaldo non faceva che incontrare altri Babbi Natale rossi e bianchi, uguali identici a lui, che pilotavano camioncini o motofurgoncini o che aprivano le portiere dei negozi ai clienti carichi di pacchi o li aiutavano a portare le compere fino all'automobile. E tutti questi Babbi Natale avevano un'aria concentrata e indaffarata, come fossero addetti al servizio di manutenzione dell'enorme macchinario delle Feste.

E Marcovaldo, tal quale come loro, correva da un indirizzo all'altro segnato sull'elenco, scendeva di sella, smistava i pacchi del furgoncino, ne prendeva uno, lo presentava a chi apriva la porta scandendo la frase: – La Sbav augura Buon Natale e felice anno nuovo, – e prendeva la mancia.

Questa mancia poteva essere anche ragguardevole e Marcovaldo avrebbe potuto dirsi soddisfatto, ma qualcosa gli mancava. Ogni volta, prima di suonare a una porta, seguito da Michelino, pregustava la meraviglia di chi aprendo si sarebbe visto davanti Babbo Natale in persona; si aspettava feste, curiosità, gratitudine. E ogni volta era accolto come il postino che porta il giornale tutti i giorni.

Suonò alla porta di una casa lussuosa. Aperse una governante. – Uh, ancora un altro pacco, da chi viene?

– La Sbav augura...

– Be', portate qua, – e precedette il Babbo Natale per un corridoio tutto arazzi, tappeti e vasi di maiolica. Michelino, con tanto d'occhi, andava dietro al padre.

La governante aperse una porta a vetri. Entrarono in una sala dal soffitto alto alto, tanto che ci stava dentro un grande abete. Era un albero di Natale illuminato da bolle di vetro di tutti i colori, e ai suoi rami erano appesi regali e dolci di tutte le fogge. Al soffitto erano pesanti lampadari di cristallo, e i rami piú alti dell'abete s'impigliavano nei pendagli scintillanti. Sopra un gran tavolo erano disposte cristallerie, argenterie, scatole di canditi e cassette di bottiglie. I giocattoli, sparsi su di un grande tappeto, erano tanti come in un negozio di giocattoli, soprattutto complicati congegni elettronici e modelli di astronavi. Su quel tappeto, in un angolo sgombro, c'era un bambino, sdraiato bocconi, di circa nove anni, con un'aria imbronciata e annoiata. Sfogliava un libro illustrato, come se tutto quel che era lí intorno non lo riguardasse.

— Gianfranco, su, Gianfranco, — disse la governante, — hai visto che è tornato Babbo Natale con un altro regalo?

— Trecentododici, — sospirò il bambino, senz'alzare gli occhi dal libro. — Metta lí.

— È il trecentododicesimo regalo che arriva, — disse la governante. — Gianfranco è cosí bravo, tiene il conto, non ne perde uno, la sua gran passione è contare.

In punta di piedi Marcovaldo e Michelino lasciarono la casa.

— Papà, quel bambino è un bambino povero? — chiese Michelino.

Marcovaldo era intento a riordinare il carico del furgoncino e non rispose subito. Ma dopo un momento, s'affrettò a protestare: — Povero? Che dici? Sai chi è suo padre? È il presidente dell'Unione Incremento Vendite Natalizie! Il commendator...

S'interruppe, perché non vedeva Michelino. — Michelino, Michelino! Dove sei? — Era sparito.

« Sta' a vedere che ha visto passare un altro Babbo Natale, l'ha scambiato per me e gli è andato dietro...» Marcovaldo continuò il suo giro, ma era un po' in pensiero e non vedeva l'ora di tornare a casa.

A casa, ritrovò Michelino insieme ai suoi fratelli, buono buono.

– Di' un po', tu: dove t'eri cacciato?

– A casa, a prendere i regali... Sí, i regali per quel bambino povero...

– Eh! Chi?

– Quello che se ne stava cosí triste... quello della villa con l'albero di Natale...

– A lui? Ma che regali potevi fargli, tu a lui?

– Oh, li avevamo preparati bene... tre regali, involti in carta argentata.

Intervennero i fratellini. – Siamo andati tutti insieme a portarglieli! Avessi visto come era contento!

– Figuriamoci! – disse Marcovaldo. – Aveva proprio bisogno dei vostri regali, per essere contento!

– Sí, sí dei nostri... È corso subito a strappare la carta per vedere cos'erano...

– E cos'erano?

– Il primo era un martello: quel martello grosso, tondo, di legno...

– E lui?

– Saltava dalla gioia! L'ha afferrato e ha cominciato a usarlo!

– Come?

– Ha spaccato tutti i giocattoli! E tutta la cristalleria! Poi ha preso il secondo regalo...

– Cos'era?

– Un tirasassi. Dovevi vederlo, che contentezza... Ha fracassato tutte le bolle di vetro dell'albero di Natale. Poi è passato ai lampadari...

– Basta, basta, non voglio piú sentire! E... il terzo regalo?

– Non avevamo piú niente da regalare, cosí abbiamo involto nella carta argentata un pacchetto di fiammiferi da cucina. È stato il regalo che l'ha fatto piú felice. Diceva: « I fiammiferi non me li lasciano mai toccare! » Ha cominciato ad accenderli, e...

– E...?

– ... ha dato fuoco a tutto!

Marcovaldo aveva le mani nei capelli. – Sono rovinato!

L'indomani, presentandosi in ditta, sentiva addensarsi la tempesta. Si rivestí da Babbo Natale, in fretta in fretta, caricò sul furgoncino i pacchi da consegnare, già meravigliato che nessuno gli avesse ancora detto niente, quando vide venire verso di lui tre capiufficio, quello delle Relazioni Pubbliche, quello della Pubblicità e quello dell'Ufficio Commerciale.

– Alt! – gli dissero, – scaricare tutto, subito!

«Ci siamo!» si disse Marcovaldo e già si vedeva licenziato.

– Presto! Bisogna sostituire i pacchi! – dissero i capiufficio. – L'Unione Incremento Vendite Natalizie ha aperto una campagna per il lancio del Regalo Distruttivo!

– Cosí tutt'a un tratto... – commentò uno di loro. – Avrebbero potuto pensarci prima...

– È stata una scoperta improvvisa del presidente, – spiegò un altro. – Pare che il suo bambino abbia ricevuto degli articoli-regalo modernissimi, credo giapponesi, e per la prima volta lo si è visto divertirsi...

– Quel che piú conta, – aggiunse il terzo, – è che il Regalo Distruttivo serve a distruggere articoli d'ogni genere: quel che ci vuole per accelerare il ritmo dei consumi e ridare vivacità al mercato... Tutto in un tempo brevissimo e alla portata d'un bambino... Il presidente dell'Unione ha visto aprirsi un nuovo orizzonte, è ai sette cieli dell'entusiasmo...

– Ma questo bambino, – chiese Marcovaldo con un filo di voce, – ha distrutto veramente molta roba?

– Fare un calcolo, sia pur approssimativo, è difficile, dato che la casa è incendiata...

Marcovaldo tornò nella via illuminata come fosse notte, affollata di mamme e bambini e zii e nonni e pacchi e palloni e cavalli a dondolo e alberi di Natale e Babbi Natale e polli e tacchini e panettoni e bottiglie e zampognari e spazzacamini e venditrici di caldarroste che facevano saltare padellate di castagne sul tondo fornello nero ardente.

E la città sembrava piú piccola, raccolta in un'ampolla luminosa, sepolta nel cuore buio d'un bosco, tra i tronchi centenari dei castagni e un infinito manto di neve. Da qualche parte del buio s'udiva l'ululo del lupo; i leprotti avevano una tana sepolta nella neve, nella calda terra rossa sotto uno strato di ricci di castagna.

Uscí un leprotto, bianco, sulla neve, mosse le orecchie, corse sotto la luna, ma era bianco e non lo si vedeva, come se non ci fosse. Solo le zampette lasciavano un'impronta leggera sulla neve, come foglioline di trifoglio. Neanche il lupo si vedeva, perché era nero e stava nel buio nero del bosco. Solo se apriva la bocca, si vedevano i denti bianchi e aguzzi.

C'era una linea in cui finiva il bosco tutto nero e cominciava la neve tutta bianca. Il leprotto correva di qua ed il lupo di là.

Il lupo vedeva sulla neve le impronte del leprotto e le inseguiva, ma tenendosi sempre sul nero, per non essere visto. Nel punto in cui le impronte si fermavano doveva esserci il leprotto, e il lupo uscí dal nero, spalancò la gola rossa e i denti aguzzi, e morse il vento.

Il leprotto era poco piú in là, invisibile; si strofinò un orecchio con una zampa, e scappò saltando.

È qua? è là? no, è un po' piú in là?

Si vedeva solo la distesa di neve bianca come questa pagina.

Apparato didattico

A cura di Carlo Minoia

Avvertenza per gli insegnanti.

Come molti altri titoli tradizionalmente destinati a far parte della cosiddetta «letteratura per ragazzi», anche *Marcovaldo* è un libro tutt'altro che facile. La sua utilizzazione, ormai molto diffusa, come testo da proporre fra i primi a lettori molto giovani è, d'altra parte, giustificata dalla possibilità che esso offre di essere letto a diversi livelli e secondo molteplici chiavi: si può andare da una lettura che coglie soltanto gli aspetti esteriori delle avventure che capitano al protagonista fino a letture più raffinate capaci di intravvedere quel tanto di «metafisico» che è presente in quasi tutta la narrativa di Calvino.
A noi è sembrato che da ragazzi della scuola media non si dovesse pretendere l'impossibile e nel compilare le schede didattiche abbiamo tenuto presenti obbiettivi «realistici»:

a) l'individuazione delle strutture e delle funzioni principali tipiche di un testo narrativo;

b) la capacità di ricostruire la trama e la sua logica interna;

c) la possibilità di utilizzare la lettura come strumento di arricchimento lessicale;

d) un primo contatto consapevole con un uso fortemente espressivo della lingua.

All'obbiettivo a) tende in modo particolare la scheda di analisi comune per tutti i racconti, mentre le schede di lavoro specifiche tengono presenti soprattutto gli altri obbiettivi.
Le schede non intendono sostituirsi all'insegnante, ma essere un punto di riferimento per il suo lavoro. La mole delle schede non deve spaventare: i docenti potranno scegliere, fra gli spunti offerti, quelli che riterranno più validi e più opportuni in rapporto al proprio lavoro e alle caratteristiche di ogni classe e riportare (quando è possibile) da una scheda all'altra esercizi che si siano rivelati produttivi.
È importante chiarire, soprattutto, che le schede sono state pensate come uno strumento per la preparazione di un lavoro

collettivo da svolgere in classe sotto la guida dell'insegnante.

Crediamo utile, infine, proporre una suddivisione dei racconti in ordine di difficoltà di lettura.

Un primo gruppo può essere costituito dai racconti piú brevi basati su una trama molto elementare:

Funghi in città (n. 1)

Il piccione comunale (n. 3)

Il bosco sull'autostrada (n. 8)

Dov'è piú azzurro il fiume (n. 13)

La pioggia e le foglie (n. 15)

Un secondo gruppo comprende i racconti un po' piú lunghi e basati su una trama meno semplice:

La villeggiatura in panchina (n. 2)

La cura delle vespe (n. 5)

Un sabato di sole, sabbia e sonno (n. 6)

Un viaggio con le mucche (n. 10)

Il coniglio velenoso (n. 11)

Marcovaldo al supermarket (n. 16)

Fumo, vento e bolle di sapone (n. 17)

Un terzo gruppo è costituito da racconti nei quali la trama (spesso esile) è piú che mai un pretesto per descrivere con modalità poetiche sentimenti, situazioni, ambienti, ecc.:

La città smarrita nella neve (n. 4)

La pietanziera (n. 7)

L'aria buona (n. 9)

La fermata sbagliata (n. 12)

Luna e Gnac (n. 14)

La città tutta per lui (n. 18)

Infine, un posto a sé meritano, secondo noi, i due racconti conclusivi:

Il giardino dei gatti ostinati (n. 19) per l'atmosfera di incertezza e di ambiguità che vi predomina e che lo qualifica, a pieno titolo, come «racconto fantastico»;

I figli di Babbo Natale (n. 20) per il ricorso frequente a una terminologia di tipo aziendale.

Scheda di analisi comune per tutti i racconti

1. Spesso, in un racconto, prima di incominciare a riferirci la storia vera e propria, il narratore ci introduce nella situazione e nell'ambiente con descrizioni o considerazioni di altro genere. Per esempio, nel primo racconto di questa raccolta, *Funghi in città*, il narratore incomincia con un brano introduttivo abbastanza lungo (da «Il vento, venendo in città da lontano...» a «e le miserie della sua esistenza»), nel quale ci informa che la vicenda si svolgerà in città e che i funghi vi giocheranno un ruolo importante e, inoltre, ci offre un primo ritratto del protagonista, Marcovaldo.

Per ogni racconto di questo libro che leggi puoi porti la domanda: esiste una «introduzione» e, in caso di risposta affermativa, dove incomincia e dove finisce?

2. In *Funghi in città* dopo il brano introduttivo incomincia la narrazione della storia vera e propria: «Cosí un mattino, aspettando il tram che lo portava alla ditta Sbav...»
Possiamo notare che il narratore, dopo averci rappresentato Marcovaldo alla fermata del tram mentre scopre i funghi appena appena spuntati, sposta il suo sguardo su Marcovaldo al lavoro, e poi su Marcovaldo mentre cena con la famiglia, e poi ancora su Marcovaldo che, la mattina dopo, torna a controllare la crescita dei funghi, ecc. Vediamo, insomma, che il racconto è costituito da una successione di piccoli episodi, ognuno dei quali avviene in un ambiente e in un periodo di tempo diversi da quelli dell'episodio precedente. Ognuno di questi episodi si chiama *sequenza narrativa*.

In *Funghi in città* la prima sequenza narrativa incomincia con «Cosí un mattino, aspettando il tram che lo portava alla ditta Sbav...» e finisce con «la contingenza, gli assegni familiari e il caropane». La seconda incomincia con «Al lavoro fu distratto piú del solito...» e finisce con «E non vedeva l'ora di mettere a parte della scoperta sua moglie e i sei figlioli».

Ora puoi continuare tu a individuare le sequenze narrative di cui si compone il racconto, indicando per ognuna dove incomincia e dove finisce.

Lo stesso lavoro puoi fare per ognuno dei racconti di questo libro che leggi.

3. Se facciamo un po' piú di attenzione, notiamo che le sequenze narrative non hanno tutte le stesse caratteristiche.

In alcune il narratore ci riassume brevemente gli avvenimenti accaduti in un periodo di tempo abbastanza lungo. Per esempio, in *Funghi in città*, nella sequenza di Marcovaldo al lavoro il narratore non ci riferisce tutte le azioni compiute dal protagonista e tutti i suoi pensieri, ma ce ne dà solo un'idea attraverso poche frasi. Un periodo di tempo di almeno otto ore (tanto, piú o meno, lavorava Marcovaldo ogni giorno) viene condensato in otto righe, per leggere le quali noi impieghiamo meno di un minuto. Le sequenze che ci riferiscono gli eventi della storia riassumendoli si chiamano *sommari*.

In *Funghi in città* ci sono altri sommari? Sei in grado di individuarli?

Lo stesso lavoro puoi fare per ogni racconto di questo libro che leggi.

4. In altre sequenze, invece, il narratore ci racconta gli eventi in modo piú dettagliato, riportandoci addirittura i discorsi pronunciati dai vari personaggi. In questo caso noi per leggere la sequenza impieghiamo all'incirca la stessa quantità di tempo di cui hanno avuto bisogno gli eventi per accadere: le azioni per essere compiute, i discorsi per essere pronunciati o pensati, ecc. Sequenze di questo tipo si chiamano *scene*.

Un esempio di scena è, in *Funghi in città*, la sequenza di Marcovaldo a cena con la sua famiglia.

In questo racconto ci sono altre scene? Sei in grado di individuarle?

Lo stesso lavoro puoi fare per ogni racconto di questo libro che leggi.

5. Quasi sempre in una narrazione esistono dei passi, piú o meno estesi, di carattere descrittivo. Alcune volte le descrizioni appaiono all'interno delle sequenze (sia che si tratti di sommari, sia che si tratti di scene), altre volte, invece, costituiscono una parte a se stante, magari inserita fra due sequenze. Nelle descrizioni non vengono riferiti eventi (azioni o discorsi o pensieri) che fanno procedere la storia, ma ci vengono

offerte informazioni su un personaggio, su un oggetto, su un ambiente in modo che noi ce lo possiamo raffigurare con maggiore precisione nella nostra fantasia.

In *Funghi in città*, per esempio, nella prima parte del racconto, quella introduttiva, ci viene offerta una descrizione abbastanza dettagliata non tanto dell'aspetto fisico, quanto della psicologia di Marcovaldo.

Saresti in grado di individuare altri passi descrittivi nel resto del racconto?

Lo stesso lavoro puoi fare per ogni racconto di questo libro che leggi.

6. Il contenuto di ogni sequenza narrativa può essere riassunto in uno stile che si avvicina a quello telegrafico, ricorrendo, cioè, a frasi molto semplici e al minor numero di parole possibile. L'importante è afferrare, fra quanto viene riferito dal narratore, ciò che è essenziale per lo svolgimento della storia, ciò che non può essere tralasciato senza modificare o rendere incomprensibile la trama della vicenda nel suo insieme.

Facciamo un esempio sulle prime parti di *Funghi in città*:

A. Introduzione:

Un giorno, trasportate dal vento, capitarono su un'aiola della città delle spore, e ci germinarono dei funghi. Marcovaldo, un manovale sempre attento alle manifestazioni della natura, fu l'unico a notare la cosa.

B. Prima sequenza:

Mentre aspettava il tram che lo doveva portare al lavoro proprio vicino a quell'aiola, egli si accorse che dei funghi stavano incominciando a spuntare nientemeno che nel cuore della città.

C. Seconda sequenza:

Al lavoro, ancora più distratto del solito, non fece che pensare ai funghi e al momento in cui avrebbe comunicato la sua scoperta alla moglie e ai sei figli.

D. Terza sequenza:

A cena Marcovaldo fece il grande annuncio, ma, per paura che la notizia potesse diffondersi e che qualcun altro lo potesse precedere nella raccolta, tenne segreto il posto dei funghi.

Vuoi continuare tu, adesso?

Lo stesso lavoro puoi fare per ogni racconto di questo libro che leggi.

7. Per ogni racconto che leggi puoi riassumere il lavoro che hai fatto fino ad ora compilando una scheda come questa (cancellare le voci che non interessano e riempire le parti riservate ai riassunti):

Introduzione

c'è / non c'è

contiene descrizioni: sí / no

Riassunto:

. . . .

. . . .

Prima sequenza

sommario / scena

contiene descrizioni: sí / no

Riassunto:

. . . .

. . . .

Seconda sequenza

sommario / scena

contiene descrizioni: sí / no

Riassunto:

. . . .

. . . .

. . . .

sommario / scena

contiene descrizioni: sí / no

Riassunto:

. . . .

. . . .

---

8. Il narratore può limitarsi a rappresentarci le azioni dei vari personaggi e a riportare i discorsi che essi pronunciano, senza farci sapere nulla dei loro sentimenti, dei loro pensieri nascosti, dei loro sogni, ecc.

Oppure il narratore può ritenere opportuno di informarci anche sulla vita interiore dei personaggi.

Per ogni racconto che leggi rispondi a queste domande:

– il narratore ci mette al corrente anche dei sentimenti, dei pensieri, dei sogni dei personaggi?
– e se sí, si limita a farlo per il protagonista o lo fa anche per altri personaggi?
– ci sono dei personaggi nei confronti dei quali il narratore si limita a rappresentarci le azioni esteriori (gesti, discorsi), senza informarci direttamente sul loro mondo interiore?

9. Il testo di un racconto è sempre molto ricco di informazioni esplicite e di informazioni indirette, che possiamo ricavare da quelle esplicite.

In *Funghi in città*, per esempio, ci viene detto esplicitamente che Marcovaldo fa di mestiere il manovale, che si reca al lavoro in tram, che è un amante della natura, ecc.

Per questo racconto, e per tutti quelli che leggerai, compila un elenco delle informazioni esplicite che il narratore ci fornisce:

– su Marcovaldo;
– sulla sua famiglia;
– sui singoli membri della sua famiglia.

In *Funghi in città* viene detto, a un certo punto, che i bambini piú piccoli di Marcovaldo «non sapevano cosa i funghi fossero». Questa è una informazione esplicita dalla quale noi possiamo ricavare alcune altre informazioni implicite o indirette.

Quali? (Per esempio: che non erano mai usciti dalla città, ecc.).

In ogni racconto che leggi cerca di individuare se ci sono informazioni esplicite che permettano di fare la stessa cosa e ricava le possibili informazioni implicite.

10. In ogni racconto che leggi individua i passi che mettono in evidenza il contrasto fra natura e vita di città.

11. Molto spesso, in un racconto, al personaggio principale, o protagonista, si contrappone un altro personaggio, che del protagonista è un po' il rivale, colui che ne ostacola, consapevolmente o meno, i movimenti, le aspirazioni, i successi.

Per ogni racconto che leggi cerca di capire se esiste qualche figura che svolge il ruolo di antagonista (magari bonario) di Marcovaldo.

12. Individua, sottolineandole o trascrivendole a parte, le parole di cui non conosci il significato che incontri in ogni racconto che leggi.

Per ognuna prova a ipotizzare, cercando di ricavarlo dal contesto, un possibile significato.

Verifica la tua ipotesi o consultando un dizionario della lingua italiana o sottoponendola al tuo insegnante.

Una volta sicuro del significato della parola, inventa e scrivi una frase che la contenga in modo corretto. Verifica il tuo lavoro con il tuo insegnante.

Racconto n. 1: *Funghi in città.*

Caratteristiche personaggi...

a) Il narratore ci informa che Marcovaldo aveva «un occhio poco adatto alla vita di città». In questo racconto il protagonista dimostra di avere un occhio veramente adatto almeno alle manifestazioni della natura?

b) Quali potrebbero essere i motivi per cui i bambini piú piccoli di Marcovaldo non sapevano che cosa fossero i funghi?

c) Saresti capace di rifare il ragionamento per cui Marcovaldo non vuole rivelare alla famiglia il posto dei funghi?

d) Nel corso del racconto, in due occasioni, i sentimenti di Marcovaldo cambiano improvvisamente nei loro opposti. Sapresti individuarle?

e) Perché, alla fine, Marcovaldo e Amadigi si guardano in cagnesco?

f) Conosci il significato delle seguenti parole che compaiono nel racconto?

inconsueto – pertugio – insolito – sterile – bernoccolo – poroso – smania – geloso – diffidente – apprensione – scrutare – zuppo – impietrito – codazzo – corsia d'ospedale – lavatura (si dice anche *lavanda*) gastrica.

Se ne conosci già il significato, scrivilo sul tuo quaderno a fianco di ogni parola; per le parole di cui non conosci il significato procedi come è indicato al punto n. 12 della scheda comune.

g) Nel contesto in cui viene usato a p. 15 il termine *studiati* significa (indicare con una crocetta la soluzione esatta):

– oggetto di lettura;
– progettati;
– molto ricercati.

h) L'espressione *mettere qualcuno a parte di qualcosa* usata a p. 17 significa (indicare con una crocetta la soluzione esatta):

– informare qualcuno di qualcosa;
– nascondere qualcosa a qualcuno;
– mettere qualcuno in disparte per impedirgli di appropriarsi di qualcosa.

i) L'espressione *allontanarsi di gran passo* usata a p. 18 significa (indicare con una crocetta la soluzione esatta):

– allontanarsi facendo lunghi passi;
– allontanarsi in fretta.

l) La parola *tracollo* usata a p. 19 significa (indicare con una crocetta la soluzione esatta):

– perdita di equilibrio;
– crollo improvviso;
– sostegno fatto da una striscia di cuoio o di stoffa che poggia sopra una spalla.

m) L'espressione *gente assiepata alla fermata* usata a p. 19 significa (indicare con una crocetta la soluzione esatta):

– persone riunite vicino a una siepe;
– persone che stanno molto vicine fra di loro come i rami di una siepe.

Racconto n. 2: *La villeggiatura in panchina.*

a) Ora che conosci un po' meglio Marcovaldo, sapresti dire perché a lui i passeri parevano usignoli?

b) Nella sua mente Marcovaldo contrappone la cupola d'ippocastani che copre la «sua» panchina alla stanza in cui dorme abitualmente. Scrivi in una colonna i pregi che Marcovaldo

attribuisce alla cupola, in un'altra i corrispondenti difetti che
egli imputa alla sua stanza:

cupola d'ippocastani	stanza
ci si sveglia al cinguettare de-gli uccelli	ci si sveglia al suono della sveglia e allo strillo del neonato Paolino e all'inveire della moglie Domitilla
. . . .	. . . .
. . . .	. . . .

c) Marcovaldo confronta la luna piena in cielo e il semaforo
che lampeggia. Come hai fatto nel punto *b*, scrivi in una colonna le caratteristiche della luna (che ha la capacità di rasse-
renare) e quelle del semaforo (che, invece, riesce solo a inner-
vosire), cercando di mettere sulla stessa riga le caratteristiche
che si contrappongono.

d) A che punto del racconto Marcovaldo incomincia a perdere entusiasmo nell'attuare il suo proposito di dormire all'a-
perto?

e) Quanti e quali sono gli ostacoli che Marcovaldo incontra
prima di poter attuare il suo proposito?

f) Fra le varie sequenze quali ti sono sembrate le piú divertenti? Perché? E quali ti sono sembrate piú capaci di rappresentare gli aspetti negativi o malinconici della vita cittadina?

g) Quali dei seguenti aggettivi, secondo te, sono adatti a definire la figura del vigile notturno Tornaquinci? Cancella quelli che ritieni impropri:

intelligente – sospettoso – intuitivo – tonto – scrupoloso
– diligente – coraggioso – superficiale – puntiglioso – distratto.

h) Verso la fine del racconto è scritto che «le saracinesche
dei negozi precipitavano verso l'alto». Ti sembra un modo di
esprimersi comune o ci trovi qualcosa di strano? Quale sensazione vuole comunicare questa espressione?

i) Ci sono delle espressioni che si allontanano dall'uso piú
comune della lingua? (Per esempio: *ombra trasparente di lin-*

fa, p. 20; *buio zebrato dal riverbero dei fanali*, p. 20; ora continua tu nella ricerca).

l) Conosci il significato delle seguenti parole che compaiono nel racconto?

fronde – dardeggiare – guanciale – infervorato – in scorcio – esaurimento (nervoso) – perlustrazione – accucciato – raschio – sfrigolío – struggente – raggrinzito – frasche – garrulo – idraulica (*sostantivo*) – ninfa – fauno – fluviale – froge – anfratto – carrucola – cozzo – gong – sgraziato – attutimento – stipato – smaniare – fragranza – scantonare – giaciglio – balsamo – rivolo – stranito.

Se ne conosci già il significato, scrivilo sul tuo quaderno a fianco di ogni parola; per le parole di cui non conosci il significato procedi come è indicato al punto n. 12 della scheda comune.

m) L'espressione *andare per le lunghe* usata a p. 21 significa (indicare con una crocetta la soluzione esatta):

– metterci molto tempo, dilungarsi;
– cercare le strade piú lunghe;
– andare per terra lungo disteso.

n) Nel contesto in cui viene usato a p. 22 il termine *sfumatura* significa (indicare con una crocetta la soluzione esatta):

– passaggio graduale fra le varie tonalità di colore;
– taglio graduale dei capelli fra la nuca e il collo;
– cosa di poco conto, di scarsa importanza.

o) Nel contesto in cui viene usata a p. 25 l'espressione *fare la notte* significa (indicare con una crocetta la soluzione esatta):

– stare sveglio tutta la notte;
– lavorare al turno di notte;
– stare in piedi tutta la notte.

p) Nel contesto in cui viene usato a p. 25 il termine *smontare* significa (indicare con una crocetta la soluzione esatta):

– scendere da cavallo;
– ridurre in pezzi;
– finire il proprio turno di lavoro.

Racconto n. 3: *Il piccione comunale.*

a) Come si concilia, secondo te, l'amore di Marcovaldo per la natura con la sua «fantasticheria di cacciatore», con il suo proposito di catturare le beccacce e di farsele arrosto?

b) Sapresti rifare il ragionamento di Marcovaldo in base al quale spera di riuscire a catturare molte beccacce? E chi gli aveva offerto lo spunto per questo ragionamento?

c) In questo racconto ci sono due vittime. Una è, ovviamente, Marcovaldo, deluso nei suoi sogni e alle prese con i danni provocati alla biancheria della padrona di casa. L'altra, che pure ci suscita tenerezza, chi è?

d) La cattura del piccione comunale costituisce un momento di delusione e di malinconica tristezza nello stesso tempo. Metti in evidenza le parole che, in questo episodio, contribuiscono a creare una simile atmosfera amara.

e) Conosci il significato delle seguenti parole che compaiono nel racconto?

stormo – striato – fantasticheria – arzillo – casamento – vischio – granone – vorace – impegolato – frastuono – malaccortamente – tiglioso – pigione – sfratto.

Se ne conosci già il significato, scrivilo sul tuo quaderno a fianco di ogni parola; per le parole di cui non conosci il significato procedi come è indicato al punto n. 12 della scheda comune.

f) Nel contesto in cui viene usato a p. 30 il termine *passo* significa (indicare con una crocetta la soluzione esatta):

– movimento compiuto dall'uomo o da animali con le gambe per camminare;
– valico di montagna;
– passaggio.

g) Ti diciamo noi che:

– *romantica*, detto della figlia Isolina (p. 30), significa *sentimentale, sognatrice.*
– *piano nobile* (p. 31) è il piano di un caseggiato in cui risiedono i proprietari.

Racconto n. 4: *La città smarrita nella neve.*

a) In questo racconto abbondano espressioni che si allontanano dall'uso comune della lingua, ma che, proprio grazie a questa loro particolarità, risultano molto efficaci e capaci di suscitare forti sensazioni nel lettore, risultano, cioè, molto espressive.

Vediamone alcune. Già il titolo: *La città smarrita nella neve*; poi le prime parole del racconto: *Quel mattino lo svegliò il silenzio*; poco dopo: *la città non c'era più, era stata sostituita da un foglio bianco.* Sei capace di continuare da solo in questa ricerca?

b) Perché Marcovaldo si sente libero a camminare nella neve?

c) Che cosa può voler significare il fatto che, mentre tutto il resto della città appare trasformato dalla neve, solo il posto di lavoro di Marcovaldo sembra lo stesso di tutti i giorni?

d) Quali sono le fantasticherie di Marcovaldo, cosí diverse dai pensieri e dalle aspirazioni del disoccupato Sigismondo?

e) Ci sono delle sequenze, di tono particolarmente fiabesco, in cui avvengono delle cose piuttosto inverosimili. Sei capace di individuarle?

f) Marcovaldo a un certo punto pensa che non potrà mai essere confuso (come invece avviene per gli altri oggetti) con un uomo di neve. Nel seguito del racconto il ragionamento di Marcovaldo viene confermato o smentito?

g) Anche questo racconto si conclude con una delusione per Marcovaldo: dopo tanti fatti divertenti e straordinari, si torna alla realtà del lavoro quotidiano. Quali parole, nelle ultime righe del racconto, ci trasmettono questo senso di delusione?

h) Conosci il significato delle seguenti parole che compaiono nel racconto?

attutito – carreggiata – imbracciare – arruolarsi – lussuoso – modellare – ortaggi – assorto – grata – rivolo – intasato – appollaiato – vorticare – tormenta – spigoloso – ostile.

Se ne conosci già il significato, scrivilo sul tuo quaderno a fianco di ogni parola; per le parole di cui non conosci il significato procedi come è indicato al punto n. 12 della scheda comune.

i) Nel contesto in cui viene usato a p. 33 il termine *gola* significa (indicare con una crocetta la soluzione esatta):

– ghiottoneria;
– vallata stretta e profonda con pareti molto ripide;
– parte del corpo umano.

l) L'espressione *di gran lena* usata a p. 33 significa (indicare con una crocetta la soluzione esatta):

– col fiato grosso;
– con grande coraggio;
– con grande impegno.

m) Nel contesto in cui viene usato a p. 34 il termine *cicca* significa (indicare con una crocetta la soluzione esatta):

– gomma americana;
– sigaretta o avanzo di sigaretta o di sigaro.

Racconto n. 5: *La cura delle vespe.*

a) Marcovaldo applica esattamente la terapia contro i reumatismi riportata dal giornale o vi apporta qualche modifica?

b) «Per un po', se non altro, Domitilla si lamentò solo del bruciore della vespa». Quali informazioni implicite possiamo ricavare da questa frase?

c) Cerca di esprimere con altre parole il significato della frase: «Quell'anno i reumatismi serpeggiavano tra la popolazione come i tentacoli d'una piovra».

165

d) In un primo tempo la nuova attività di Marcovaldo ha successo. Che cosa vi pone bruscamente fine?

e) Perché la frase di Marcovaldo riportata a p. 42: «Abbiate pazienza, adesso arrivano le vespe», assume un senso comico?

f) Vi sono altri punti del racconto che tu hai avvertito come comici?

g) Individua la descrizione delle caratteristiche di Marcovaldo quando è al massimo del successo e quella di Marcovaldo dopo il disastro finale.

h) Conosci il significato delle seguenti parole che compaiono nel racconto?

reumatismi – ingobbito – assiduo – artrite – lombaggine – propenso – addome – infuriato – esitante – lombi – sequela – marziale – giovamento – munire – terga – provetto – afflitto – cencioso – imboccatura – avventarsi – trafittura – apprensione – sciame.

Se ne conosci già il significato, scrivilo sul tuo quaderno a fianco di ogni parola; per le parole di cui non conosci il significato procedi come è indicato al punto n. 12 della scheda comune.

i) Nel contesto in cui viene usato a p. 38 l'aggettivo *meridiano* significa (indicare con una crocetta la soluzione esatta):

– molto luminoso;
– di mezzogiorno;
– molto caldo.

l) Nel contesto in cui viene usato a p. 39 il termine *virtú* significa (indicare con una crocetta la soluzione esatta):

– capacità curativa;
– tendenza a comportarsi bene;
– potere magico.

m) L'espressione *fare il passo di parata* usata a p. 40 significa (indicare con una crocetta la soluzione esatta):

– fare il movimento tipico dei portieri delle squadre di calcio quando parano un pallone;
– fare il particolare passo d'obbligo per i soldati durante le sfilate solenni.

Racconto n. 6: *Un sabato di sole, sabbia e sonno.*

a) Il racconto si svolge tutto senza stacchi temporali al proprio interno. Tuttavia è possibile suddividerlo in tre sequenze abbastanza lunghe. Sapresti individuarle? E che cosa distingue una sequenza dall'altra?

b) Una parte del racconto è costituita dalla descrizione di quello che Marcovaldo vede e pensa: noi conosciamo gli avvenimenti attraverso gli occhi e la mente del protagonista. Sapresti individuare questa parte?

c) Mentre si trova sul barcone abbandonato a se stesso Marcovaldo è combattuto fra due propositi contrastanti. Quali sono?

d) A un certo punto il racconto assume un tono particolarmente fiabesco, ci riferisce, in altre parole, degli avvenimenti che non potrebbero verificarsi davvero nella realtà, ma che possono solo essere immaginati con la fantasia. Quando, secondo te, avviene questa svolta nel racconto? E quali avvenimenti ti sono sembrati inverosimili?

e) Possiamo dire che questa avventura finisce bene per Marcovaldo?

f) Conosci il significato delle seguenti parole che compaiono nel racconto?

reumi (reumatismi) – sabbiatura – rena – dinosauro – mota – renaiolo – chiatta – sarcofago – dardeggiare – pergola – balaustra – sobbalzare – catapulta – matrona – giunonico.

Se ne conosci già il significato, scrivilo sul tuo quaderno a fianco di ogni parola; per le parole di cui non conosci il significato procedi come è indicato al punto n. 12 della scheda comune.

g) L'espressione *bere a garganella* usata a p. 44 significa (indicare con una crocetta la soluzione esatta):

– bere un liquido senza accostare il recipiente alle labbra;
– bere facendo colare il liquido sui vestiti;
– bere facendo rumore.

h) Nel contesto di p. 45 il termine *merlo* significa (indicare con una crocetta la soluzione esatta):

– un tipo di uccello;
– un uomo sprovveduto e sempliciotto;
– ognuno dei rialzi sulla parte piú alta dei muri perimetrali degli antichi edifici militari.

i) Ti diciamo noi che:

– il *filo* di un fiume è la successione dei punti in cui l'acqua, piú profonda, scorre anche piú velocemente.

Racconto n. 7: *La pietanziera*.

a) A p. 49 viene usata un'espressione piuttosto particolare: «... svegliare un po' quelle vivande intorpidite». L'espressione è insolita perché il verbo *svegliare* e l'aggettivo *intorpidito* nell'uso comune della lingua si riferiscono solo a cose animate, viventi, che, in quanto tali, si addormentano, si intorpidiscono e si svegliano. Le pietanze, invece, non sono oggetti viventi e dire che possono essere svegliate dopo che si sono intorpidite significa, allontanandosi dall'uso comune della lingua, accostare dei concetti fra loro poco coerenti. Ma da questa operazione trae guadagno la forza espressiva della frase.

Cerca di esprimere con altre parole il significato contenuto in «... svegliare un po' quelle vivande intorpidite».

Ci sono nel racconto altre espressioni con le stesse caratteristiche? Dopo averle individuate, esprimi con altre parole il loro significato.

b) Il resoconto del pasto di Marcovaldo fra p. 49 e p. 50 riferisce un evento accaduto una sola volta o un evento che accade ogni giorno con modalità quasi identiche?

168

c) Nel corso dello stesso resoconto lo stato d'animo di Marcovaldo oscilla continuamente fra la tristezza e una gioia pacata, contenuta. Individua i punti in cui si parla di questi due sentimenti e indica che cosa, di volta in volta, suscita l'uno o l'altro.

d) Come ti immagini che sia il rapporto fra Marcovaldo e la moglie Domitilla? C'è una frase in questo racconto che ci può aiutare a raffigurarcelo. La sapresti individuare?

e) Da quali elementi del racconto risulta che Marcovaldo è povero e che, invece, il bambino affacciato alla finestra è ricco?

f) Perché, secondo te, la governante rimprovera il bambino quando lo sorprende a mangiare la salsiccia di Marcovaldo?

g) In questo racconto c'è solo un momento di vera gioia: quando? Per il resto tutto il racconto trasmette una sensazione di amara tristezza: quali elementi concorrono a suscitare nel lettore questa sensazione?

h) Conosci il significato delle seguenti parole che compaiono nel racconto?

pigiato – stoccafisso – smistare – attrattiva – famelico – scenario – desinare (*sostantivo*) – randagio – irrancidito – ghiotto – bottiglieria – sorbire – bacheca – maiolica – diligente – mastichío – disdegno – mal garbo.

Se ne conosci già il significato, scrivilo sul tuo quaderno a fianco di ogni parola; per le parole di cui non conosci il significato procedi come è indicato al punto n. 12 della scheda comune.

i) Nel contesto di p. 51 il termine *raso* significa (indicare con una crocetta la soluzione esatta):

– liscio dopo essere stato rasato;
– pieno;
– un tipo di tessuto di cotone o di seta.

l) Te lo diciamo noi:

– *perdere buchi nei biglietti tramviari* (p. 50) significa: pagare inutilmente delle corse (cioè dei viaggi) sul tram. L'espressione deriva dal fatto che quando è stato scritto il racconto erano in vendita delle tessere tramviarie per i lavoratori che davano diritto a un certo numero di corse. All'inizio di ogni corsa il bigliettaio faceva un buco sulla tessera, fino all'esaurimento del numero di corse consentito.

Racconto n. 8: *Il bosco sull'autostrada*.

a) [*Il freddo*] *sul mare corre come una mandra di cavalli*: è questa la prima di una lunga serie di *similitudini* (paragoni) che troviamo nella parte iniziale del racconto. Sapresti individuare le similitudini che seguono?

b) Il diverso modo di emettere le nuvolette di fiato è indice della diversità degli stati d'animo presenti in Marcovaldo, nella moglie, nei figli. Sapresti descriverli?

c) Né i bambini di Marcovaldo, né l'agente della polizia stradale Astolfo percepiscono i cartelloni pubblicitari per quello che sono in realtà, ma per motivi e per cause diversi. Quali?

d) Il silenzio, il freddo e la solitudine dominano questo racconto. Individua tutti i passi in cui si fa riferimento a qualcuno di questi tre elementi.

e) Conosci il significato delle seguenti parole che compaiono nel racconto?

mandra (mandria) – sciame – locusta – speranzoso – fruscío – cartaceo – chioma – costellato – ispezione – ammonitore – gesticolante – miope – réclame – emicrania – riassestarsi – trespolo – smorzato – gracchiare.

Se ne conosci già il significato, scrivilo sul tuo quaderno a fianco di ogni parola; per le parole di cui non conosci il significato procedi come è indicato al punto n. 12 della scheda comune.

f) L'espressione *corto di vista* usata a p. 56 significa (indicare con una crocetta la soluzione esatta):

– di vista debole, che ci vede poco da lontano;
– poco intelligente nel guardare le cose;
– che fa fatica a vedere per la bassa statura.

g) L'espressione *strabuzzare gli occhi* usata a p. 56 significa (indicare con una crocetta la soluzione esatta):

– strizzare gli occhi;
– dilatare gli occhi per lo stupore o per una qualsiasi altra emozione violenta;
– aprire e chiudere le palpebre molto velocemente.

h) L'espressione *una trista faccia spaventata* usata a p. 56 significa (indicare con una crocetta la soluzione esatta):

– una faccia spaventata e triste;
– una faccia spaventata e malinconica allo stesso tempo;
– una faccia spaventata e cattiva.

Racconto n. 9: *L'aria buona.*

a) Perché i bambini di Marcovaldo hanno «le gote accaldate e gli occhi lucidi»?

b) In che senso i bambini di Marcovaldo intendono l'espressione *aria buona*? E quale è, invece, il suo significato esatto?

c) «– E a questi qui! – e si batté con le dita sul petto...» A che cosa allude, con il gesto e con le parole (p. 61), l'uomo grosso vestito di grigio?
Di che cosa sono malate queste persone, di cui, poco piú avanti, ci viene detto che sono ricoverate in un sanatorio?

d) «[Marcovaldo] stava proprio fantasticando di poter vivere lassú» (p. 60).

«La sera, – disse [l'uomo grosso vestito di grigio], – con questo bastone, mi faccio la mia passeggiata in città. Scelgo una via, una fila di lampioni, e la seguo, cosí... Mi fermo alle vetrine, incontro la gente, la saluto...» (p. 62).

In che cosa differiscono la fantasticheria di Marcovaldo e quella dell'uomo grosso? Quali diversi desideri esprimono?

e) L'incontro con i malati per certi aspetti è stato cordiale, per i bambini addirittura festoso. Perché allora, secondo te, Marcovaldo a un certo punto sembra avere una gran fretta di andarsene e diventa asciutto, sbrigativo, silenzioso?

f) Conosci il significato delle seguenti parole che compaiono nel racconto?

seminterrato – stetoscopio – fragile – implume – sgangherato – sfrattato – pendice – tragitto – sgombro – spaesato – gracile – brillío – aggrumato – landa – plumbeo – stagnante – scaglia – sprazzo – sanatorio – ripa – incoronato – ricoverato.

Se ne conosci già il significato, scrivilo sul tuo quaderno a fianco di ogni parola; per le parole di cui non conosci il significato procedi come è indicato al punto n. 12 della scheda comune.

g) Nel contesto di p. 58 il termine *affilato* significa (indica con una crocetta la soluzione esatta):

– tagliente;
– aguzzo;
– magro magro.

h) Nel contesto di p. 58 il termine *tozzo* significa (indica con una crocetta la soluzione esatta):

– di corporatura massiccia;
– pezzo di pane.

i) Nel contesto di p. 60 il termine *decifrare* significa (indica con una crocetta la soluzione esatta):

– leggere;
– interpretare;
– individuare a fatica;
– risolvere.

l) Cerca di esprimere con altre parole il significato delle seguenti espressioni:

– *otto bocche* (p. 58);
– *dormire allo stellato* (p. 58);
– *d'in città* (p. 61).

m) Abbiamo già visto, al punto *a* della scheda per il racconto n. 8, che cosa sia la *similitudine*. Esiste anche una forma di *similitudine accorciata* che si chiama *metafora*. La metafora, spesso, conferisce alla lingua una maggiore forza espressiva.

A p. 60, per esempio, leggiamo: «ricoperta... dai brandelli di fumo sventolanti sugli stecchi dei fumaioli». La similitudine, se noi la svolgiamo per intero, suona cosí: «ricoperta dagli *sbuffi* di fumo sventolanti come *brandelli* (di stoffa) sugli stecchi dei fumaioli». Lo scrittore ha preferito «accorciare» la similitudine e sostituire il termine *sbuffi* (primo termine del paragone) direttamente col termine *brandelli* (secondo termine del paragone). Il risultato è, appunto, una metafora.

Fra le due seguenti espressioni usate nel racconto indica quale è una similitudine e quale una metafora:

– le scapole fragili come le ali d'un uccelletto implume (p. 58);
– sulla grigia ragnatela delle vie (p. 60).

Dopo aver individuato la metafora, cerca di svolgerla in similitudine come hai visto fare nell'esempio.

n) Ti diciamo noi che:

– l'espressione *immedesimati di quella luce e di quel verde* usata a p. 59 significa che a Marcovaldo sembrava già di vedere, sui visetti smunti dei suoi bambini, i primi effetti benefici dello stare alla luce e in mezzo al verde.

Racconto n. 10: *Un viaggio con le mucche.*

a) Abbiamo già visto, al punto *m* della scheda per il racconto n. 9, che cosa sia una metafora.

L'espressione *pulviscolo di esili suoni* usata a p. 63 è una metafora. Sapresti svolgerla in una similitudine completa dei due termini di paragone?

Riesci a individuare altre metafore presenti nel racconto?

b) Che cosa è il «forno di cemento cotto e polveroso» a cui si sente inchiodato Marcovaldo (p. 64)?

c) A p. 64 abbiamo un altro esempio di procedimento linguistico inconsueto quando lo scrittore si serve dell'espressione *rintocco rugginoso*. In altre parole (e in un modo di esprimersi piú comune) significa: rintocco emesso da campanelle ormai arrugginite. Ma, come già nel caso della metafora, lo scrittore preferisce «accorciare» l'espressione e attribuire direttamente al rintocco la caratteristica di essere rugginoso.

Nel racconto ci sono altri casi di questo uso del tutto particolare dell'aggettivo. Sapresti individuarli?

d) Come si immagina Marcovaldo che Michelino trascorra le ore in montagna con le mucche? E come, invece, le ha veramente trascorse Michelino?

e) Michelino sembra avere acquistato, durante il periodo trascorso in montagna, qualcosa dell'uomo adulto e indurito dalla fatica. Da quali suoi gesti e atteggiamenti lo possiamo capire?

f) Perché, in conclusione del racconto, gli odori di fieno e i suoni di campani vengono definiti *menzogneri*?

g) Conosci il significato delle seguenti parole che compaiono nel racconto?

anonimo – diradare – nitido – nottambulo – fruscío – schiamazzo – esile – selciato – seminterrato – spicco – attutito – smentita – bigio – pezzato – soprassalto – lombo – strame – languido – assorto – guado – cantone – giogaia – variegato – dileguarsi – acero – scalpiccío.

Se ne conosci già il significato, scrivilo sul tuo quaderno a fianco di ogni parola; per le parole di cui non conosci il significato procedi come è indicato al punto n. 12 della scheda comune.

h) Nei rispettivi contesti, indicati dal numero della pagina, ognuno dei seguenti termini significa (indicare con una crocetta la soluzione esatta):

discreto (p. 63):

– piú che sufficiente
– che sa mantenere un segreto
– che ha il senso dei limiti e della misura
– che non dà fastidio

graduato (p. 63):
- – che procede per gradi, di diversa entità
- – sottufficiale, che ha i gradi militari

smorzato (p. 63):
- – spento, che ha finito di bruciare o illuminare
- – attenuato

rotto (pp. 63 e 65):
- – spezzato, fratturato
- – abituato, assuefatto
- – inarticolato

vago (p. 64):
- – indistinto, impreciso
- – instabile, errante
- – leggiadro, dolcemente attraente

sordo (p. 64):
- – privo di sensibilità
- – che non ci sente, privo dell'udito
- – che produce scarse vibrazioni acustiche

alieno (p. 65):
- – che appartiene ad altri
- – estraneo
- – che proviene da altri mondi dell'universo

traversa (p. 66):
- – trave disposta trasversalmente
- – l'asta trasversale che collega i due montanti della porta in un campo di calcio
- – strada secondaria che taglia una strada piú importante
- – lenzuolo ripiegato e posto di traverso al letto

fesso (p. 67):
- – diviso da un taglio o da uno spacco
- – stridulo, sgradevole
- – sciocco

grave (p. 67):
- – pesante
- – corpo soggetto alla forza di gravità
- – importante, difficilmente superabile

Racconto n. 11: *Il coniglio velenoso.*

a) Si può dire che in questo racconto vi sono due protagonisti: uno è Marcovaldo, l'altro chi è?

b) Il racconto procede per colpi di scena, per decisioni o interventi improvvisi che fanno cambiare rotta allo sviluppo prevedibile della vicenda. Cerchiamo di ricostruire le fasi principali da questo punto di vista:

1. Marcovaldo si impossessa del coniglio nel laboratorio dell'ospedale e vorrebbe farlo ingrassare per mangiarlo a Natale. Ma

2. Domitilla . . . .

3. I bambini . . . .

4. . . . .

... .

c) Il caporeparto signor Viligelmo non capisce che Marcovaldo ha un animale nascosto sotto il giubbotto. A che cosa attribuisce, invece, il suo strano modo di comportarsi?

d) Nell'ultima parte del racconto, a partire da p. 76, il coniglio ci viene rappresentato in termini quasi umani: individua gli elementi di cui si serve il narratore per realizzare la «umanizzazione» del coniglio.

e) Da che cosa gli proviene il «male indistinto e misterioso» (p. 76) che il coniglio avverte dentro di sé?

f) Quali sono, a tuo parere, i momenti piú tristi del racconto?

g) Conosci il significato delle seguenti parole che compaiono nel racconto?

strazio – disagio – piumoso – implume – rannicchiato – circospetto – rimpinzare – squallido – degenza – sussultante – impiastro – epilettico – acclamare – risentimento – scorza – germe – truciolo – collottola – riluttante – camice – vertigine – issare – itinerario – laccio – armeggío – alterarsi – infido – ghermire – nocivo – sciame – locusta – maleficio – vaccino.

Se ne conosci già il significato, scrivilo sul tuo quaderno a fianco di ogni parola; per le parole di cui non conosci il significato procedi come è indicato al punto n. 12 della scheda comune.

h) Nel contesto di p. 70 e di p. 71 il termine *moto* significa (indicare con una crocetta la soluzione esatta):

– tentativo rivoluzionario;
– movimento;
– veicolo a motore a due ruote.

i) L'espressione *darsi un contegno* usata a p. 70 significa (indicare con una crocetta la soluzione esatta):

– assumere una espressione seria, dignitosa e composta;
– farsi coraggio;
– prendersi un impegno.

l) L'espressione *tenere qualcuno a stecchetto* usata a p. 70 significa (indicare con una crocetta la soluzione esatta):

– tenere qualcuno sotto controllo minacciandolo con un bastoncino;
– tenere qualcuno in piedi con l'aiuto di un ramoscello;
– dare a qualcuno poco da mangiare tanto da farlo diventare magro come uno stecco.

m) L'espressione *toccare il tasto giusto* usata a p. 74 significa (indicare con una crocetta la soluzione esatta):

– colpire nel punto debole, far leva su un interesse molto forte;
– suonare molto bene il pianoforte;
– saper spiegare con chiarezza.

n) Dopo aver riletto il punto *a* della scheda per il racconto n. 8 e il punto *m* della scheda per il racconto n. 9, stabilisci se l'espressione *mare obliquo e angoloso* usata a p. 76 è una similitudine o una metafora.

o) *Sorda inquietudine* (p. 78) significa (indicare con una crocetta la soluzione esatta):

– una inquietudine che fa diventare sordi;
– una inquietudine nascosta, ma molto forte e insistente;
– una inquietudine che rende insensibili d'animo.

Racconto n. 12: *La fermata sbagliata.*

a) Nella nebbia si perde il senso dello spazio perché si perdono i punti di riferimento abituali. A p. 80 si dice che la nebbia «spiaccicava le distanze in uno spazio senza dimensioni». Sapresti individuare nel seguito del racconto gli altri passi in cui si parla ancora di questo effetto di disorientamento provocato dalla nebbia?

b) Nel racconto si intrecciano strettamente collegate le descrizioni di tre tipi diversi di «effetti» provocati dalla nebbia:

– gli effetti oggettivi;
– le percezioni soggettive di Marcovaldo;
– le sue fantasticherie.

Sapresti distinguere gli uni dagli altri?

c) Perché a un certo punto alla nebbia esterna si aggiunge una nebbia nella testa di Marcovaldo?

d) Alla fine del suo girovagare dove arriva Marcovaldo?

e) Prova ad immaginare una continuazione del racconto.

f) Conosci il significato delle seguenti parole che compaiono nel racconto?

inospitale – sbiadito – sottobosco – paludoso – opaco – involgere – bagliori – macchinalmente – rincalzare – imbacuccato – pastrano – librato – evanescente – scrutare – strascico – intelleggibile – imbevere – sfocato – spaziare – diradarsi – issarsi – capitello – biforcazione – accoccolarsi – contiguo – scalo – impassibile – sari.

Se ne conosci già il significato, scrivilo sul tuo quaderno a fianco di ogni parola; per le parole di cui non conosci il significato procedi come è indicato al punto n. 12 della scheda comune.

g) L'espressione *avere in uggia qualcosa* usata a p. 80 significa (indicare con una crocetta la soluzione esatta):

– avere in simpatia qualcosa;
– non poter piú sopportare qualcosa.

h) L'espressione *discorso oscuro* usata a p. 86 significa (indicare con una crocetta la soluzione esatta):

– discorso pronunciato al buio;
– discorso dal significato poco chiaro.

Racconto n. 13: *Dov'è piú azzurro il fiume.*

a) Perché Marcovaldo decide di andare a pescare?

b) Perché in un posto cosí ricco di pesci come quello scoperto da Marcovaldo stranamente non ci sono altri pescatori?

c) Perché Marcovaldo mente per due volte alla guardia?

d) Perché, alla fine, Marcovaldo ributta tutti i pesci nel fiume?

e) In che cosa consiste l'insuccesso finale di Marcovaldo?

f) Conosci il significato delle seguenti parole che compaiono nel racconto?

insidia – frode – candela stearica – arsenico – sorcio – distillato – esofago – infido – speculatore – salice – ripa – scosceso – olmo – dazio.

Se ne conosci già il significato, scrivilo sul tuo quaderno a fianco di ogni parola; per le parole di cui non conosci il significato procedi come è indicato al punto n. 12 della scheda comune.

g) Nel contesto di p. 90 il termine *arsenale* significa (indicare con una crocetta la soluzione esatta):

– impianto destinato alla costruzione e alla manutenzione di una flotta militare;
– equipaggiamento combinato in modo un po' disparato;
– deposito di armi.

h) Ti diciamo noi che:

– *pillola sintetica* (p. 88) significa: pillola contenente sostanze prodotte per sintesi chimica;
– *fissare brutto* (p. 90) significa: guardare con aria insospettita e severa;
– *a monte* (p. 90) significa: piú in alto, verso la cima del monte; si contrappone all'espressione *a valle*, che significa: piú in basso, verso il fondo della valle.

Racconto n. 14: *Luna e Gnac.*

a) Dopo aver letto il racconto, prova a riflettere sul titolo, *Luna e Gnac*: che cosa vuol dire? a quale situazione riferita nel testo vuole alludere?

b) Sulla base delle fantasticherie riferite a p. 93 cerca di ricostruire i caratteri dei diversi personaggi.

c) Quali sono le battute comiche nel dialogo fra Marcovaldo e i bambini riportato a p. 94?

d) Che cosa intende dire Marcovaldo con la frase (p. 97): «Stanotte sarà di nuovo una notte di GNAC»?

e) Che cosa teme Marcovaldo quando riceve la visita del dottor Godifredo?

f) Perché il dottor Godifredo desidera che la scritta luminosa della «Spaak» venga danneggiata dai bambini di Marcovaldo?

g) Alla fine Marcovaldo ha avuto vantaggi o svantaggi dal suo contratto con il dottor Godifredo?

h) Conosci il significato delle seguenti parole che compaiono nel racconto?

variegato – impalpabile – alone – spolverío – brillío – gnaulío – languido – acquattarsi – fosforescente – struggersi – dancing – melanconico – voluta (*sostantivo*) – schiudersi – fioco – ansimare – abbagliante – gragnuola – ghirigoro – vorticare – geroglifici – ammiccante – abbarbagliato – trafittura – opaco – sbieco – smisurato – stagliarsi – bancarotta – dissesto – rampare.

Se ne conosci già il significato, scrivilo sul tuo quaderno a fianco di ogni parola; per le parole di cui non conosci il significato procedi come è indicato al punto n. 12 della scheda comune.

i) Cerca di esprimere con altre parole il significato delle seguenti espressioni:

– *pungente piccolezza* (p. 92);
– *correnti di pensieri* (pp. 92-93);
– *smorzato gracchiar di radio* (p. 93);
– *sgranare gli occhi* (p. 93);
– *casa di riguardo* (p. 93);
– *commerci terrestri* (p. 94);
– *scodella d'un fanale* (p. 95);
– *luminoso navigare dei tram vuoti* (p. 95).

l) Nel contesto delle pp. 95 e 96 il termine *castello* significa (indicare con una crocetta la soluzione esatta):

– edificio fortificato;
– cassero di prora delle navi;
– costruzione di legno o di tubi di ferro, impalcatura.

m) Nel contesto di p. 97 il termine *rapimento* significa (indicare con una crocetta la soluzione esatta):

– l'atto di sequestrare una persona;
– atteggiamento di contemplazione.

n) Ti diciamo noi che:

– *Gran Carro, Piccolo Carro, Leone, Gemelli* sono i nomi di altrettante costellazioni di stelle;
– *sfittire* (p. 96) significa: diventare meno fitto, diradarsi.

Racconto n. 15: *La pioggia e le foglie.*

a) Quali sono gli avvenimenti di questo racconto che ti sembrano inverosimili?

b) In che cosa consiste la gioia di Marcovaldo nel vedere la pianta prosperare?

c) Perché a p. 105 la pianta viene definita *creatura* di Marcovaldo?

d) Individua i passi in cui si parla della pianta quasi come di una persona.

e) Perché Marcovaldo non ha *cuore* (coraggio, p. 105) di separarsi dalla pianta?

f) Quali sono le caratteristiche del magazziniere capo, signor Viligelmo, che emergono da questo racconto?

g) Riesci ad individuare nel testo qualche similitudine e qualche metafora? (Vedi il punto *a* della scheda per il racconto n. 8 e il punto *m* della scheda per il racconto n. 9).

h) Conosci il significato delle seguenti parole che compaiono nel racconto?

incombenza – picchiettare – chiazza – fronzuto – palmizio – arbusto – allampanato – addensarsi – siccità – espandersi – sbalordita – zuppo – dolori reumatici (reumatismi) – ingobbito – inconveniente – gocciolío – blando – linfa – peduncolo – reclinato – spiovere – metereologia – caracollare – scrutare – disorientare – sventagliare – imbacuccato – traiettoria – strascico – dilagare – scroscio – impetuoso – raffica – smilzo – dipartirsi – raggera.

Se ne conosci già il significato, scrivilo sul tuo quaderno a fianco di ogni parola; per le parole di cui non conosci il significato procedi come è indicato al punto n. 12 della scheda comune.

i) Nel contesto di p. 101 il termine *dirotto* significa (indicare con una crocetta la soluzione esatta):

– che vien giú abbondante e impetuoso;
– scosceso, impervio.

l) Nel contesto di p. 103 il termine *cumulo* significa (indicare con una crocetta la soluzione esatta):

– nube spessa, bianca o grigia, con la sommità a forma di cupola;
– mucchio.

m) Nel contesto di p. 105 il termine *imboccare* significa (indicare con una crocetta la soluzione esatta):

– introdurre nella bocca;
– consigliare con suggerimenti da seguire passivamente;
– inoltrarsi (lungo una via, una strada, ecc.).

n) L'espressione *fare la spola* usata a p. 105 significa (indicare con una crocetta la soluzione esatta):

– fabbricare il rocchetto intorno al quale va avvolto un filo;
– muoversi avanti e indietro con aria affaccendata;
– fare la mezz'ala nel gioco del calcio.

o) Ti diciamo noi che:

– *cortina di pioggia* (p. 100) significa: *barriera di pioggia*;
– *verzura* (p. 105) significa: *fogliame*.

Racconto n. 16: *Marcovaldo al supermarket.*

a) La prima parte del racconto, dall'inizio fino alle prime righe di p. 108, riferisce avvenimenti accaduti una sola volta o avvenimenti che accadono ogni giorno con modalità quasi identiche?

b) La vicenda del racconto, che si svolge tutta all'interno di un supermarket, può essere suddivisa in alcune fasi principali. Sapresti individuarle?

c) In un primo tempo in che cosa consiste il divertimento di Marcovaldo e della sua famiglia dentro il supermarket?

d) Quale desiderio spinge Marcovaldo a riempire il proprio carrello di merci, pur sapendo di non avere abbastanza denaro per pagarle?

e) Perché a un certo punto Marcovaldo e la famiglia devono rimettere a posto in tutta fretta le merci che hanno accumulato nei carrelli? E perché non ci riescono?

f) Perché Marcovaldo cerca di evitare le cassiere?

g) Conosci il significato delle seguenti parole che compaiono nel racconto?

drappeggio – smantellare – stantuffo – sciorinare – starnazzante – vorticare – spasso – ingorgo – mangereccio – tambureggiare – protendere – gremito – mercanzia – addentrarsi – decifrabile – becchime – corsia – trespolo – bastimento – campionario – derrata – intricato – frenetico – crepitante – ampliamento – disselciato – piancito – sfavillare – fauci.

Se ne conosci già il significato, scrivilo sul tuo quaderno a fianco di ogni parola; per le parole di cui non conosci il significato procedi come è indicato al punto n. 12 della scheda comune.

h) L'espressione *far man bassa* usata a p. 107 significa (indicare con una crocetta la soluzione esatta):

– tenere una mano abbassata;
– prendere delle cose in grande quantità, fino al loro esaurimento;
– fare pochi punti in una mano al gioco delle carte.

i) Nel contesto di p. 108 il termine *falda* significa (indicare con una crocetta la soluzione esatta):

– fiocco di neve;
– deposito naturale sotterraneo di acqua;
– lembo di un abito.

l) L'espressione *spiccare la corsa* usata a p. 111 significa (indicare con una crocetta la soluzione esatta):

– partire di corsa;
– finire una corsa;
– correre saltellando.

m) Ti diciamo noi che:

– *rincalzare* (p. 111) in questo caso significa *deporre, affibbiare*;
– *gracchiante carrucolare* (p. 113) indica lo spostamento della carrucola della gru che produce un rumore sgradevole, stridente, simile al verso del corvo e della cornacchia.

Una particolare attenzione meritano i termini *produrre, produttivo* e *consumare, consumatore* ripetutamente usati a p. 107 nelle prime righe del racconto.

– *Produrre* significa creare dei beni (oggetti o servizi) che hanno un valore economico; *produzione* indica l'insieme delle attività umane (per esempio di una nazione) che producono beni aventi un valore economico;
– *produttori* sono tutti coloro che contribuiscono con il loro lavoro alla produzione: nel testo si usa anche l'equivalente *popolazione produttiva*.
– *Consumare* in questo caso ha il significato di *acquistare i beni prodotti per usarli*; *consumatore* è chiunque acquisti dei beni.

Nella nostra società, insieme ai beni strettamente necessari, vengono prodotti anche beni non strettamente necessari che vengono chiamati *superflui*. Quando nell'economia di una società la produzione, prima, e l'acquisto, poi, di beni superflui hanno un grande peso, si parla di *società del benessere* o di *società consumistica*.

Racconto n. 17: *Fumo, vento e bolle di sapone*.

a) Che tipo di prodotti sono il Blancasol, lo Spumador, il Lavolux, ecc.?

b) In un primo tempo perché i bambini di Marcovaldo raccolgono i tagliandi omaggio?

c) Come finisce la rivalità fra i bambini di Marcovaldo e le altre bande di ragazzini?

d) Perché improvvisamente i vari ragazzi diventano ansiosi di andare a fare commissioni in drogheria?

e) Che cosa, alla fine, preoccupa le ditte produttrici di detersivi?

f) Perché a un certo punto può risultare pericoloso avere in casa una grossa quantità di campioni di detersivo?

g) Qual è il momento piú gioioso del racconto? E quello piú triste?

h) Conosci il significato delle seguenti parole che compaiono nel racconto?

ingiunzione – réclame – saponata – sgualcito – banconota – tagliando (*sostantivo*) – ambíto – bottino – contesa – scaramuccia – redditizio – saccheggio – metodico – pedinare – requisire – bastimento – callifugo – riscossione – supplementare – perlustrare – riscosso (da *riscuotere*) – offensiva (*sostantivo*) – fruttuoso – pessimismo – refurtiva – miriagrammo – ciotola – rimestare – effervescenza – altitudine – speditezza – vagare – bricco – ghirlanda – iridato – mattiniero – atomico – radioattivo – sfarfallío – frenetico – fuliggine.

Se ne conosci già il significato, scrivilo sul tuo quaderno a fianco di ogni parola; per le parole di cui non conosci il significato procedi come è indicato al punto n. 12 della scheda comune.

i) L'espressione *a mollo* usata a p. 119 significa (indicare con una crocetta la soluzione esatta):

– a elastico;
– immerso nell'acqua;
– in modo privo di energia.

l) Ti diciamo noi che:

– *negozi prescritti* (p. 117) significa: negozi indicati sui tagliandi stessi.

Racconto n. 18: *La città tutta per lui.*

a) Quali sono i piaceri che Marcovaldo gusta mentre si aggira nella città deserta?

b) Attraverso quali elementi Marcovaldo riesce a intravvedere (o a sognare?) una città diversa, che affiora sotto le apparenze piú immediate di quella di tutti i giorni?

c) Perché il sopraggiungere degli operatori televisivi interrompe, prima, e distrugge, poi, l'atmosfera trasognata in cui Marcovaldo era riuscito a immergersi?

d) Conosci il significato delle seguenti parole che compaiono nel racconto?

attrattiva – comunicativa – irritante – fondovalle – scosceso – scogliera – incurvare – squadrato – alluvione – conduttura – intonaco – pietraia – poroso – staccionata – itinerario – sviare – scarabeo – sinuoso – incedere – mosaico – disparato – radiatore – tramortito – gnaulío – sopravvenire – accumulatore – ciondolare – sfrigolío – stordito.

Se ne conosci già il significato, scrivilo sul tuo quaderno a fianco di ogni parola; per le parole di cui non conosci il significato procedi come è indicato al punto n. 12 della scheda comune.

e) L'espressione *isolotto di gente* usata a p. 123 è una similitudine o una metafora? (Vedi il punto *a* della scheda per il racconto n. 8 e il punto *m* della scheda per il racconto n. 9). Riusciresti a esprimerne il significato con altre parole?

f) Se già non sai che cosa vogliono dire, fai ricerche sul significato delle seguenti espressioni:

– *schermo panoramico* (p. 122);
– *fiume in secca* (p. 123);
– *cadere in balia* (p. 123);
– *essere sottosopra* (p. 125).

g) Ti diciamo noi che:

– *padellone* (p. 125) è un termine tipico dell'ambiente teatrale, cinematografico e televisivo per indicare il *riflettore*; la sua origine è legata al fatto che, in passato, per illuminare i teatri si usavano dei vasi pieni di materiale combustibile chiamati *padelle*.

Racconto n. 19: *Il giardino dei gatti ostinati*.

a) Quali sono i luoghi in cui si verificano gli avvenimenti principali del racconto?

b) Che cosa, oggi, impedisce agli uomini e ai gatti di vivere negli stessi luoghi (strade, piazze, prati, cortili, ecc.), come invece avveniva un tempo?

c) Da che cosa capiamo che il «Biarritz» è un grande ristorante di lusso?

d) È possibile arrivare a definire il gatto soriano come amico o nemico di Marcovaldo? Quali suoi atteggiamenti lo fanno apparire amico? E quali, invece, nemico?

e) Dal testo si riesce a capire se la vecchia marchesa è una donna molto buona, una «creatura angelica», ma povera, o un'avara e un'egoista?

f) Abbiamo elementi per stabilire se la marchesa, quando afferma di essere prigioniera dei gatti che le vogliono impedire di vendere il villino, dice la verità o mente? E la conclusione del racconto ci può aiutare a rispondere a questa domanda?

g) Conosci il significato delle seguenti parole che compaiono nel racconto?

rudere – ándito – cimasa – infimo – eccelso – ozioso – pasciuto – gnaulío – intrigo – radar – tzigano – frac – comminare – sentenza capitale – provetto – poggiolo – tignoso – maldestro – roteare – avvinghiato – coratella – gracidare

– intimidazione – persecuzione – indigenza – turchino – sfrigolío – incastellatura – sornione – traliccio – voliera.

Se ne conosci già il significato, scrivilo sul tuo quaderno a fianco di ogni parola; per le parole di cui non conosci il significato procedi come è indicato al punto n. 12 della scheda comune.

b) Cerca di esprimere con altre parole il significato delle seguenti espressioni:

– *altopiano ondeggiante di tetti bassi* (p. 126);
– *soffice salto* (p. 127);
– *l'intervallo del lavoro tra la mezza e le tre* (p. 127);
– *collegamenti praticabili solo da zampe felpate* (p. 128);
– *impenetrabili come sfingi* (p. 128);
– *vetro aperto a tagliola* (p. 129);
– *biancoguantato* (p. 129);
– *nerovestito* (p. 130);
– *lamentoso cigolío* (p. 136);
– *(essere) in balía* (p. 137);
– *rifondere i danni* (p. 137);
– *fioritura di fiocchi bianchi* (p. 137).

i) Ti diciamo noi che:

– *due pezzi di muro rincalzati da piante rampicanti* (pp. 131-32) significa: due pezzi di muro cadente ricoperti e quasi sostenuti, tenuti in piedi, da piante rampicanti;
– *nuovi argomenti* (p. 136) significa: nuove prove, nuove ragioni, nuovi elementi per sostenere le proprie opinioni;
– *impresari* (p. 137) sono i proprietari di imprese edili;
– *impalcata* (p. 138) significa: *impalcatura*.
– *armatura* (p. 138) è in questo caso un termine tecnico che indica una struttura, normalmente di legno, che sostiene i muri ancora in costruzione.

Racconto n. 20: *I figli di Babbo Natale*.

a) Sulla base di quanto hai letto nel racconto e dei risultati di una tua eventuale piccola ricerca indica quali sono i compiti e le funzioni dei vari uffici aziendali: Ufficio Personale, Ufficio Relazioni Umane, Ufficio Relazioni Pubbliche, Ufficio Pubblicità, Ufficio Commerciale.

b) «Non c'è epoca dell'anno più gentile e buona, per il mondo dell'industria e del commercio, che il Natale e le settimane precedenti». In queste parole che aprono il racconto noi possiamo avvertire una nota di *ironia*: non sembra, infatti, che il narratore creda davvero alla bontà del mondo dell'industria e del commercio all'avvicinarsi del Natale. Ci sono, nel resto del racconto, altri passi che ironizzano su questo argomento?

c) Marcovaldo si accinge con grande entusiasmo a fare la parte di Babbo Natale, ma è destinato a subire una serie di delusioni. Quali?

d) Perché a p. 143, parlando con Michelino, Marcovaldo si sente stringere il cuore?

e) Perché Michelino pensa che il bambino dei trecentododici regali sia povero?

f) Quali sono le conseguenze dei regali che i bambini di Marcovaldo fanno al figlio del presidente dell'Unione Incremento Vendite Natalizie?

g) Discuti in classe con i tuoi compagni e con il tuo insegnante sul possibile significato dell'ultima pagina del racconto. Che cosa ti ha colpito di più nella conclusione?

h) Conosci il significato delle seguenti parole che compaiono nel racconto?

tremulo – aziendale – crocicchio – greve – cospicuo – strenna – pastrano – maestranze – álacre – camuffato – vischio – agrifoglio – ovatta – reclutare – bambagia – manutenzione – macchinario – smistare – pregustare – lussuoso – arazzo – maiolica – foggia – pendaglio – candito – congegno – imbronciato – addensarsi – caldarrosta – ululo.

Se ne conosci già il significato, scrivilo sul tuo quaderno a fianco di ogni parola; per le parole di cui non conosci il significato procedi come è indicato al punto n. 12 della scheda comune.

i) Cerca di esprimere con altre parole il significato delle seguenti espressioni:

– *un abitante del Paese della Cuccagna* (p. 143);
– *inforcare la sella* (p. 143);
– *aria concentrata e indaffarata* (p. 144);
– *sdraiato bocconi* (p. 145).

l) Informati su che cosa siano la *tredicesima mensilità* (p. 141) e le *ore straordinarie* (p. 139 e p. 141) dette anche, semplicemente, *straordinari* (p. 142).

m) Per capire meglio il significato delle espressioni:

– *città produttiva* (p. 140);
– *accelerare il ritmo dei consumi* (p. 147);

vai a leggere il punto *n* della scheda per il racconto n. 16.

n) Ti diciamo noi che:

– per *società anonima* (p. 139) si intende una società che agisce in campo economico i cui soci non figurano col loro nome nella denominazione che contraddistingue la società stessa;
– con *Consiglio d'amministrazione* (p. 139) si indica l'organo attraverso il quale una società manifesta la propria volontà e le proprie decisioni;
– *ditte consorelle* (p. 139) sono quelle legate fra di loro da comunanza di interessi economici.

Indice

Presentazione (p. 5)

Stampato per conto della Casa editrice Einaudi
presso lo Stabilimento Tipolitografico G. Canale & C., s. p. a., Torino

C.L. 2753-2

Ristampa

Anno

34 35 36 37 38

86 87 88 89 90 91 92

Annotazioni